U0065044

每日一字習古義今意

漢字／

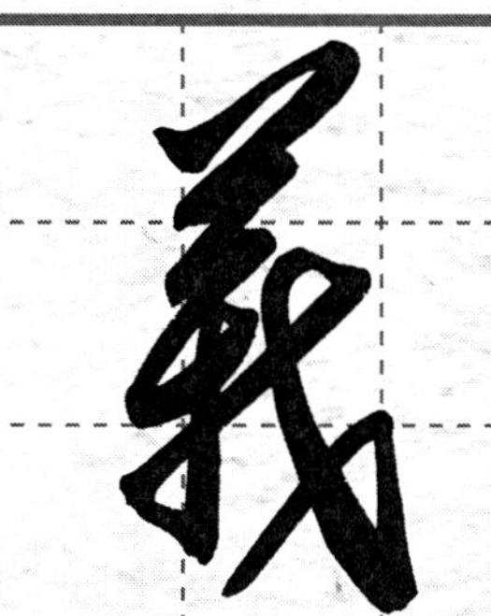

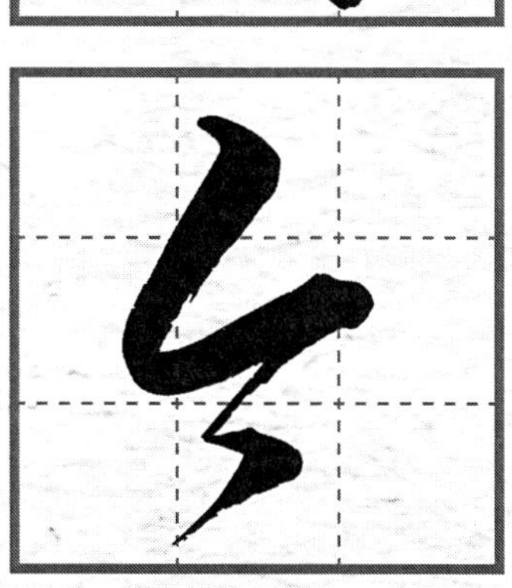

每日一字【第五輯】

自閱讀的樂趣中學習正確的文字用法，
從學生到一般讀者均可受用無窮，何樂而不為？

曾彬儒——著

普林特印刷公司—出版

漢字古義今意 每日一字【第五輯】

自序

余四川仁壽縣人，幼承庭訓，三歲起背誦百家姓及唐詩，嘗過關吃飯，未過罰站；慈母護兒，屢遭責難；嚴父之威，可見一斑！

祖父是私塾先生，傳道、授業、解惑於農村，束脩微薄，且常斷續，家中饔飧不繼，至為清寒。祖父頗具讀書人氣概，如肯向學，來者不拒，誠「有教無類」之昇華也！

祖母讀過兩年私塾，略識之無，常為無米炊，田裡生啥吃啥，多以地瓜、豌豆、胡豆等為主要糧食；典型的賢妻良母，相夫教子，知矩達理。育有九子一女，父親排行老二。食之者眾，生之者寡，鄉語云：「兒多母苦。」然從未埋怨祖父「百無一用是書生」。

父親年少從軍，投入抗戰。余四歲隨父母來台，居家甫定，父卻積勞成疾，身罹重病，雖典當所有衣飾，仍回天乏術。辭世時，余僅七歲，下有二妹，微薄撫恤常寅吃卯糧，牽蘿補屋，家中篋盡囊空，捉襟見肘，然母親仍堅苦刻厲，放下悲傷，以刺繡枕頭、被面等女紅維持家計，一針一線中藏有多少母愛！

受父親啓蒙影響，余自幼酷愛中國文學，兒時無誤樂，惟讀古籍排遣，欲云「宅男」，余自兒時始也。

大學時期，沒錢買書，輒以投稿獲酬，俾添新籍。不數年，拙作已散見各大副刊也。畢業後，因專注工作，再者，文章是愈寫愈懼，蓋「書到用時方恨少」，故而未再「煮字」，改以涉獵典籍為主也。

退休後，以書法、繪畫自娛，與孫輩閒話間，常感渠等對成語及典故等極為陌生，遑論詳其出處。電視主播常唸白字，字幕更常誤植，與原義南轅北轍，除令人啼笑皆非外，更深以為憂。

邇來科技發達，資訊飛騰，人人電腦一部，個個手機一支，昔之筆墨，已入廢墟。嘗觀日、韓書法，習之者日眾，其意境亦愈深。中國書法乃文字優美的表徵，舉世無堪比擬，莘莘學子卻棄如敝屣，不數年，學習書法恐赴他國取經，「禮失求諸野」矣，余心有戚戚焉！

中國文字是中華文化的根源，自甲骨文以降，每字演進均為歷史軌跡，身為炎黃子孫，不能不知其然。每日一字，可瞭解祖先造字的智慧，字源的起始與變化，更可從中淺讀詩經、易經、論語、詩詞、成語典故等。

子曰：「小子何莫學夫詩？詩可以興，可以觀，可以群，可以怨；邇之事父，遠之事君，多識於鳥獸草木之名。」真乃至理名言也！何不起而行，每日讀一字？

本書以簡單的現代語言，解釋深奧難懂的古文古義，旨在提高讀者對中國文學的興趣，提昇中文程度，更冀祈勿使中華文化之精髓斷層於吾輩之手。因每字篇幅有限，只能淺談，未予深研，嗣後有機，當另闢專篇，以適進階者也！

余才疏學淺，綆短汲深，註釋引喻必有未盡之處，加之付梓匆匆，難免掛一漏萬，未臻完善之處，尚祈方家正之！

曾彬儒　謹識

行楷

甲骨文

金文

小篆

行書

甲骨文：上端像一個緊握的拳頭，拳下是彎曲的手肘形狀，是指手肘之義，是個象形字。

金文：拳頭變成手掌形，是隻右手，方向朝左，其義與甲骨文相同。

小篆：由金文演變而形，已不見「肘」形。

楷書：由小篆字形演變而來。

簡化字與繁體字相同。

◆古義

《說文》：「九，陽之變也。」易經陽爻稱九，如初九、九五、上九等，《易經，乾卦》：「乾元用九，乃見天則。」乾所象徵的陽剛之氣，顯現了天地問自然運行的法則。許慎在《說文》中以「九」爲「陽」之述，其「時」已脫離甲骨文時期「手肘」之本義，其後「九」被借用爲數字，後人即另造「肘」字表之。因數字始於一，終於九，「九」爲數字中之最大者，故常以「九」表多數、大數。如三、六、九爲數中之大數。古分天下爲九州，有禹貢九州、爾雅九州、周禮九州三種區別，禹貢九州爲冀、兗、青、徐、楊、荊、豫、梁、雍等。「九如」是「詩經・小雅・天保」所指如山、如阜、如岡、如陵、如川之方至、如月之恆、如日之升、如南山之壽、如松柏之茂。「九」亦通「糾」，如「論語・憲向：「桓公九合諸侯，不以兵車。」」亦通「鳩」，聚合之義，「莊子・天下」：「而九雜天下之川。」

◆今意

至今「九」仍用於數字，古時常稱皇帝為「九五」之尊，為何不稱「九九」之尊？因為《易經，乾卦》九五•飛龍在天，是氣勢最盛之時，如至「上九」，則盛極必反，泰極否來也，故不敢稱「九九」，否則將立即敗亡也！由此可知。人在順時、盛旺之時，一定要有「憂患意識」，千萬不要得意忘形，否則當樂極生悲時又無應變之籌，情況將更悲慘也！

現在我們常說：「九死一生」、「九牛二虎」、「九世之仇」、「九牛一毛」等中的「九」，並無「九」的數目，而是意謂「九」是指極大數。

當您悒悒寡歡，憂悶不樂時不妨走出户外，投入大自然的懷抱，把煩惱拋之「九霄雲外」。旅居在外的遊子思鄉情切時唱首「九月酒的酒」或可一解鄉愁。

行楷

甲骨文

金文

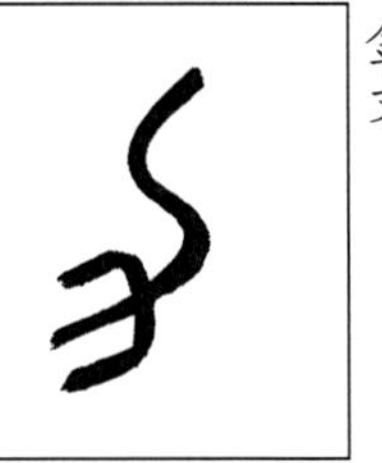

小篆

行書

甲骨文：像古代翻土的耕具，垂直的是一支木柄，左下方的彎頭是鐵器，古稱翻土的鐵器叫「耜（音寺）」，鐵耜上的木柄叫「耒（音磊）」，「力」是最早耕田的農具，是個象形字。

金文：鐵耜變得像三叉形，更像翻土的農具，

小篆：鐵叉變得更大了些，木柄亦變更彎曲。

楷書：由小篆的筆法簡化而來，已不見耒耜之形。

力之簡化字與繁體字相同

◆古義

「力」本為古老的犁田工具，古之犁田未用牲口，尚靠人力，故需極大力氣使成，因此「力」被借用「力量」、「力氣」之用，自此，「力」之本義已失，後人遂造「犁」字代替「力」為耕田器具。以「利」表聲，利下為牛。表示已用牛耕田。《說文》：「力，筋也，象人筋之形。筋者，人體的肌肉筋絡也。人體生理之效能及事物之效能皆曰「力」，引申為凡以人力完成的事曰「力」。亦引申為「極力」、「用力」、「盡力」等。「後漢•銚期傳」：「身被三創，而戰方力。」銚（音姚）期乃東漢名將，助光武帝平定天下。另以力供人使役者稱「力」，「晉，陶潛與子書」：「今遣此力，助汝薪水之勞。」派遣一名僕役，以減輕生活負擔也。

◆今意

古「項羽•垓下歌」：「力拔山兮氣蓋世！時不利兮騅不逝！」力可撼山，卻是氣魄的表現！其對義辭為「力不從心」，心有餘而力不足也！現常用於向人表達已盡心而力有未逮也！不論真假，都做了人情，但卻不夠真誠！我比較喜歡形容書法遒勁有力的「力透紙背」！語出顏真卿筆法意記：「當其用鋒，常欲使其透過紙背，此功成之極矣。」陸放翁亦有：「意在筆先，力透紙背。」句，喜好書法者必知也！

我喜歡「力學不倦」的學生，因為學生唯一的課業就是致力於學而不厭。活到老學到老，成年人亦如是。我不喜歡鼓勵別人「力疾從公」因為沒有好的身體，那有好的工作績效。

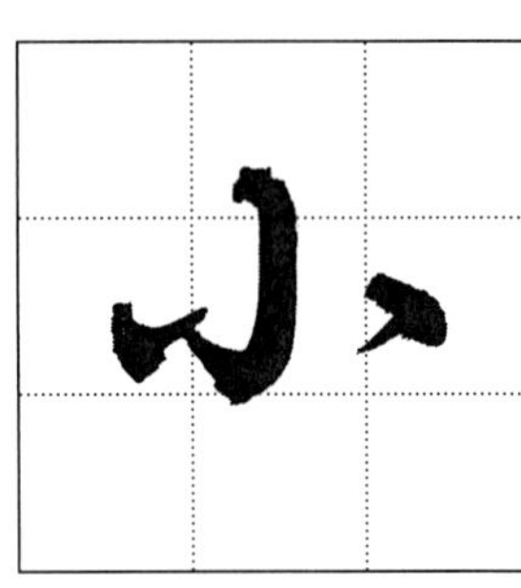
行楷

甲骨文

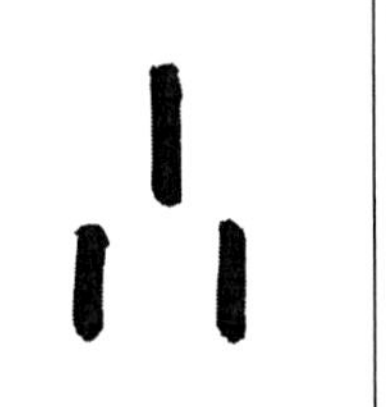
金文

小篆

行書

甲骨文：中間的一豎是一件物品，左右兩邊是個八字，表示將中間的物品一分為二，變得小了一半，即細小之義。是個會意字。

金文：與甲骨文相似，只是線條較粗。

小篆：左右兩邊將中間之物分掉之義更為明確。

楷書：由小篆演變而來，左右兩邊的「八」字變成了兩個小點，表示將中間的物品分成極小之物，既維原義，又有創意。

小之簡化字與繁體字相同。

◆古義

《說文》：「小，物之微也，從八從亅，見而分之。」

《徐曰》：「亅，始見也，八，分也。」「亅」為最初未分割之物也，經分割之後，原物即變得很細小，故知「小」之本義為「細小」。「左傳‧襄公三十一年」：「君子務知大者、遠者，小人務知小者、近者。」即高瞻遠矚與短視近利之別也！「莊子‧盜拓」：「小人徇財，君子徇名。」小人為財而死，君子為名節而犧牲。「小」者，古典「少」同字，其義亦同。「唐‧賀知章‧回鄉偶書」：「少小離家老大回，鄉音無改鬢毛衰。」「少小」疊用，加深語氣也。亦用於自謙之詞，如「小兒」、「小號」、「小園」等。

◆今意

自古迄今，小之本義均未改變，且用途極廣，它是「大」的對義字，只要不大，就可算是小。沒有品德的人，古今都稱之謂「小人」。「禮記‧表記」：「君子之接如水，小人之接如醴；君子淡以成，小人甘以杯。」直至今日仍可作為交友之座右銘。「論語‧衛靈公」：「巧言亂德，小不忍則亂大謀。」對於挑撥是非、敗壞道德的言語千萬要忍耐，套用現在的話，不要隨之起舞，以免釀成大錯！大家要牢記啊！

「論語‧陽貨」：「小子！何莫學夫詩？」這裏的「小子」是指年輕的學生。亦多用指幼弱之人，或後輩對長輩的自稱，但現在已少用之，倒常用於輕鄙或玩笑之語，如「你小子見利忘義，不足為友矣！」

行楷

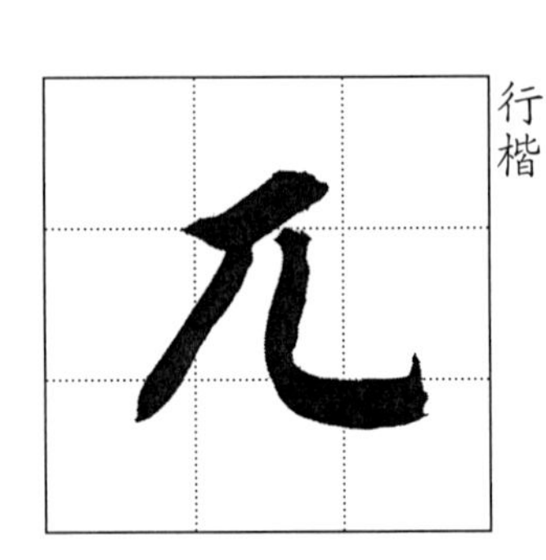

甲骨文

金文

小篆

行書

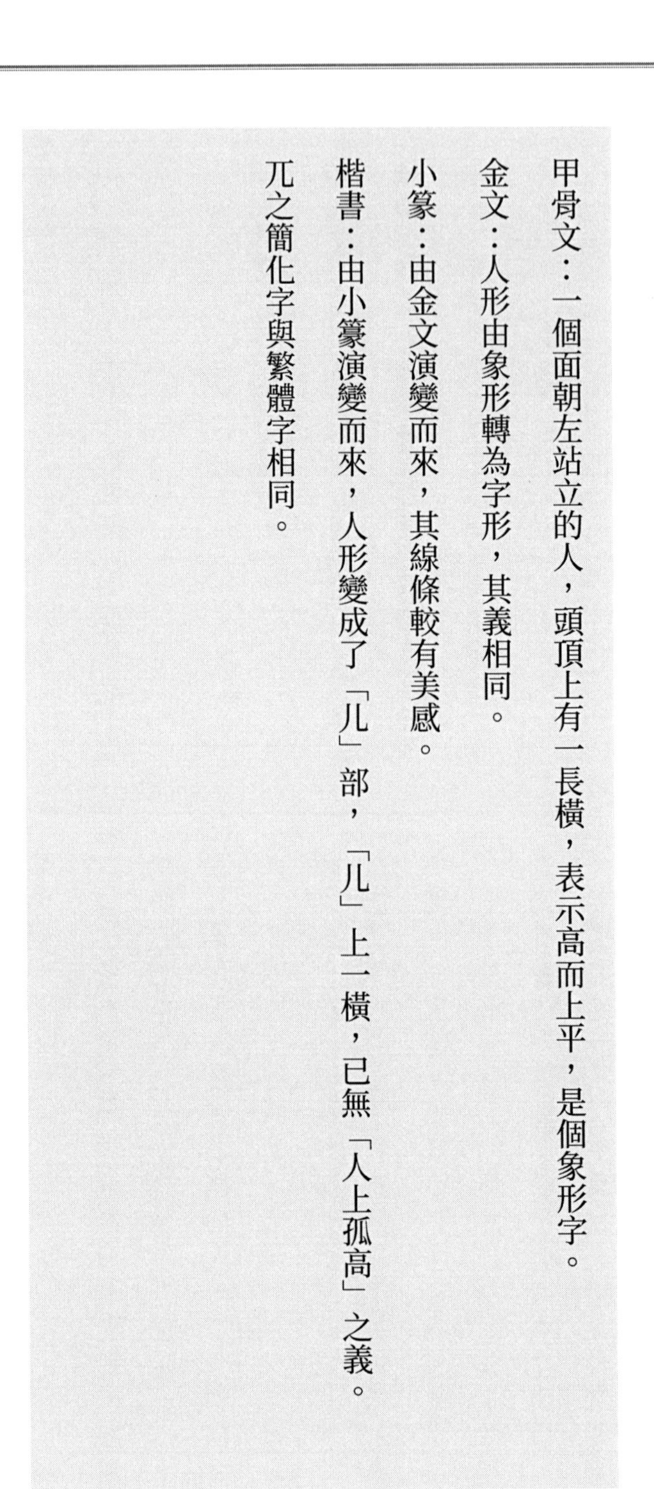

甲骨文：一個面朝左站立的人，頭頂上有一長橫，表示高而上平，是個象形字。

金文：人形由象形轉為字形，其義相同。

小篆：由金文演變而來，其線條較有美感。

楷書：由小篆演變而來，人形變成了「儿」部，「儿」上一橫，已無「人上孤高」之義。

兀之簡化字與繁體字相同。

◆古義

《說文》：「兀，高而上平也，從一，在人上。」比人還高，人必須仰望，頂上是平闊的形狀。古時與「元」字相通。「杜牧・阿房宮賦」：「蜀山兀，阿房出。」蜀山之樹被砍伐殆盡，成了禿山，此時阿房宮也建造好了。故知「兀」之本義爲「高禿」。古時刖足稱「兀」，「刖」者，古刑名之一，割去犯人一隻或兩隻腳之謂也，「莊子・德充符」：「魯有兀者叔山無趾，踵見仲尼，仲尼曰：無趾，兀者也。」另自宋朝時期始「兀日」係指不吉祥之日，有上兀與下兀之分。「兀兀」是指「勞極」也。「韓愈・進學解」：「焚膏油以續晷（音鬼），恆兀兀以窮年。」太陽下山就點起油燈，一年四季不眠不休的勞動著。「兀」亦爲發語詞，多用於曲詞之中，如「兀的」。

◆今意

今「刖足」之刑早已不存。形容「高而上平用「突兀」，表示高山或建物高聳而立之貌。形容勞苦用心的「兀兀」也少用之。「兀立」是直立不動，「兀坐」是端坐不動，偶用於詩詞或文言文中。至於「兀自」是指「尚且」、「還是」，則仍偶見於口語話中，如「建議他不要赴約，他不聽勸告，仍兀自去了！」「元劇」中有「兀兀禿禿」指半冷不熱的酒或食物，現在則幾已不用了！

兀亦唸「額」原是注音符號的聲母之一，現以不用。

「兀朮」是元朝金太祖的第四個兒子現在「兀」姓之人亦不多見。

行楷

甲骨文

金文

小篆

行書

甲骨文：像兩條船併連在一起的樣子，船頭的形像省略了，左右兩短豎是兩船連併後的寬度，左下方一撇像是繫繩，是個象形字。

金文：頂上多了一橫，像指船頭的位置，下方變成兩條繫繩。

小篆：由金文演變而來，筆劃較有省略。

楷書：由小篆形體演變而來，已不見兩船相併之。

方之簡化字與繁體字相同。

◆古義

《說文》：「方，併船也，像兩舟。」「詩經．邶風．谷風」：「就其深矣，方之舟之。」遇到深水，就划船而過，「方」與「舟」皆指划船的動作。「方」乃「枋」、「舫」的本字，船本長方形，兩船相併後成方形，後人借「方」爲「正直」、「正常」、「道理」等義後，另加「木」旁爲「枋」、「舟」旁爲「舫」以別其義。方者正也，清朝有「孝廉方正」之科舉，由各州府縣官紳保薦後，依其才識召用。「論語．里仁」：「父母在，不遠遊，遊必有方。」有正常的方向之謂。「詩經．大雅．棫樸」：「勉勉我王，綱紀四方。」勤勉的周王，治理著四方，「四方」者，東南西北之位也。「方」亦指法則、榜樣，「詩經．大雅．皇矣」：「萬邦之方，下民之王。」周朝是萬國的榜樣，周王是百姓的君王。

◆今意

「方」被借用之後，其使用義意愈來愈廣，如表「方向」、「邦國」、「當下」、「比方」、數學中的「平方」、「立方」「方根」、「方程式」、面積的「平方公里」等。「方寸」是指自己的內心，「方外」是指世外、境外，「方才」是指剛才，「方言」是指某地區之語言，「方便」是權宜之舉，亦指便利於人也！演講或寫文章時常說就教於「方家」，方家是指深於道、精於理的行家、專家！

「方以類聚」與「物以類聚」同，指興趣嗜好目的等相同的人結交在一起，含譏諷之意。

您若有關係，會有人為您大開「方便之門」您若沒關係，您只有「方正之門」可走，但這門走得安全、舒坦！

行楷

甲骨文

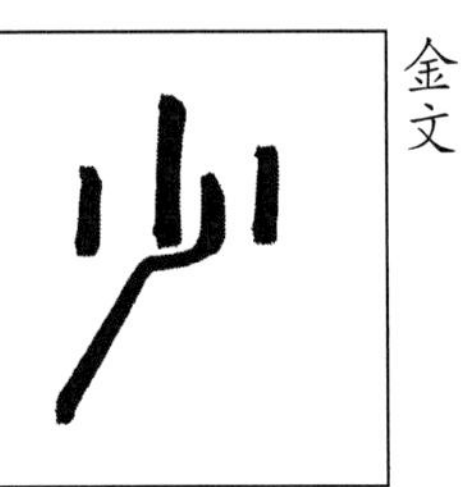
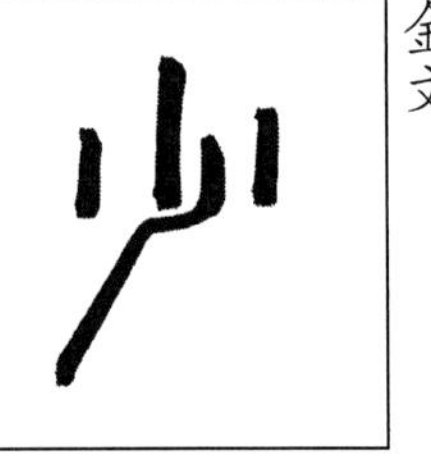
金文

小篆

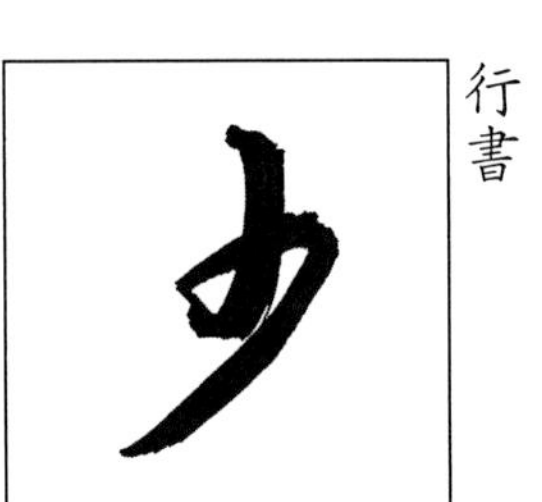
行書

甲骨文：只有上下左右四個小點，亦可以說東西南北各只有一個小點，表示不多，很少之義，古時「少」與「小」同字。是個指事字。

金文：甲骨文中最下方的小點變成一長撇，已有文字的形狀，其義未變。

小篆：由金文演變而來，筆畫變得優美些。

楷書：由小篆筆法直接轉換而來。下方朝左一撇「丿」其音亦唸「夭」，表聲。此時為形聲字。

少之簡化字與繁體字相同。

◆古義

《說文》：「少，不多也，從小，丿（音天）聲。」少數，數量不多之謂。「孫子兵法・謀攻」：「敵則能戰之，少則能逃之。」敵人兵力少，就與之作戰，我軍兵力少，就逃避之。故知「少」之本義為「數量不多」。少亦微也，「少憩」即稍微休息一下。「少」亦缺也。如「少吃無著」是形容貧苦的人缺食缺衣。「少」是「多」的對義字，如「酒逢知己千杯少，話不投機半句多。」讀音（紹）時，是指「年輕」、「年少」。「少」是「老」的對義詞。「論語・季氏」：「少之時，血氣未定，戒之在色。」「隋書・李雄傳」：上謂雄曰：「吾兒既少，更事未多。此即「少不更事」之典故出處也！

◆今意

「少」有（ㄕㄠˇ燒上）（ㄕㄠˋ紹）二音，一指數量的「少小」，一指年齡的「少小」。直至今日，其本義均未改變，其使用率亦極高，生活中無處不在，無處不用。仍記得小學畢業時，老師題在紀念冊上的一句話：「少壯不努力，老大徒傷悲。」當時懵懵懂懂，一知半解，轉頭就更不痛不癢，毫無感覺了，隨著年齡的增長，心中慢慢有了痛，當「痛」出了警覺，人已老了，時不我?:啦！悔之晚矣啊！

「少小離家老大回」古有之，今亦有之，這人生是悲催的，無奈的！

「錢不嫌多，事不嫌少」是人性之常，事必躬親，不求名利者畢竟少之又少，但盼望得到一份「錢多事少離家近」工作的人卻是不少！

行楷

甲骨文

金文

小篆

行書

甲骨文：直的線條表示長短不一，寫有文字的竹筒，中間橫的長方形是繩索或皮革製成的韋帶，將竹筒編串起來，是個象形字。

金文：由甲骨文演變而來，竹簡的長短排列稍有變化，但較有規則。

小篆：與金文相似，惟中間的竹簡稍長。

楷書：筆法簡化，其本字有「冊」、「册」等寫法，均同。

冊之簡化字與繁體字相同。

◆古義

《說文》：「冊本簡編通名。」即把寫好的竹簡編串在一起之謂通稱「簡冊」「尚書•多士」：「惟殷先人，有冊有典。」「冊」亦符命也，諸侯進受於王者也。古時封爵的典禮稱「冊封」，如立親王、郡王、皇后，貝勒、貴妃等。冊封的命令稱「冊命」。「尚書，顧命」：「御王冊命。」冊命之禮始於漢武封三王，皇后用金冊，宰相貴妃用竹冊。清朝時，五品以上文官受封之文書稱「冊誥」，皇帝立皇后之禮稱「冊立」，另以「冊書」免其職務、職位等稱「冊免」「冊」亦通「策」，「漢書•趙充國傳」：「此全師保勝安邊之冊。」「冊」亦「帙」也，「帙」者，書衣，書套也！書以「衣」或「套」色裝為一帙，即稱一冊。

◆今意

「冊」之本義為簡冊，乃古代最早的文書依據，因「封」、「命」、「誥」、「免」均用「冊」，故稱之為「冊封」等，今已不用這類辭語了，而完全回歸其本義，用指訂成本子的書為一「冊」，亦作為書本數量的名稱，如捐贈圖書若干冊？學校的畢業生都會製作紀念冊，俾以留住學生時期的美好光陰！現在「冊」與「策」亦各有其義，「冊封為王」、「冊封為后」也只有在古裝劇中才能看得到了！

今用「晉任」、「晉升」、「晉用」等代替古君王之冊封，「任」、「免」、「派」、「遣」已是近代語辭，較之「冊」、「封」又廣泛許多。

古時裱成單張後再合裝成本的書話稱「冊葉」，現在則稱「冊頁」。

行楷

甲骨文

金文

小篆

行書

甲骨文：像一個祭祀祖先的牌位，亦是祭祀用的禮器，是「祖」的本字，是個象形字。

金文：由甲骨文演變而來，形體稍有變化。

小篆：小篆的筆法，形體與金文相同。

楷書：由小篆筆法直接轉換而來。

且之簡化字與繁體字相同。

古義

《說文》：「且，薦也。」「穀梁傳註」：「無牲而祭曰薦。」「且」是最早用於祭祀祖先的禮器或牌位，是「祖」的本字，後被假借為虛辭，故另加「示」邊為「祖」以各表其義。假借為虛辭後有多種用法，如用於發語辭的即「夫」也。亦有「此」義，「詩經‧周頌‧載芟」：「匪且有且，匪今斯今。」不僅此處豐收，不僅今日如此。亦有「將」義，「國策‧秦策」：「城且拔矣！」。城將攻陷了！亦有「又」義，兼舉之辭。「詩經‧小雅‧魚麗」：「君子有酒，旨且多。」君子有酒，又美又多。亦有「姑且」義，「詩經‧唐風‧山有樞」：「且以喜樂，且以永日。」姑且以之歡樂，姑且歡樂終日。亦有「況且」之義‧「論語‧季氏」：「且在邦域之中矣。」況且是在魯國管轄境內。「且」讀音為「居」時，常用於文言文的語尾餘聲，「詩經‧鄭風‧褰裳」。：「豈無他士？狂童之狂也且！」難道沒別人了？你這小子太狂啦！

今意

如今「且」字多用於副詞，有兼舉兩事之意，如「且戰且走」。亦是平列連接詞，如「而且」、「並且」。亦用於表達本意以外的另一層語意，如「況且」、「尚且」。另「暫且」「權且」、「姑且」等多用於臨時權變之事。我很喜歡「唐‧杜甫」的詩：「二月已破三月來，漸老逢春能幾回；莫思身外無窮事，且盡生前有限杯。」這「且」字用得極好，要我們好好把握人生在世的光陰啦！

古人說：「且耕且讀」，今人說：「半工半讀」。「且住為佳」是勸人暫時住下。

「辛棄疾，摸魚兒」：「春且住，見說道，天涯芳草無歸路」這「且」字用得有神韻，如用現代語詞「別走」、「莫走」、「留下」、「住下」，則意境就差很多了！

行楷

甲骨文

金文

小篆

行書

甲骨文：像一個面朝左半跪著的婦女，胸前兩個小點表示乳房，是哺育嬰兒的母親，是個象形字。

金文：與甲骨文之形體相似，其義亦同。

小篆：婦女的面轉朝右邊，形體亦稍有改變。

楷書：由小篆演變而來，乳房兩點變成上下形。

母之簡化字與繁體字相同。

◆古義

《說文》：「母，從女，像懷子形，一曰像乳形。」母者，生我之人，育我之人也。「詩經‧小雅‧蓼莪」：「父兮生我，母兮鞠我。」父親生我，母親養育我。「尚書‧泰誓」：「惟天地萬物父母。」除天地之外，父母最大也。「易經‧說卦傳」：「乾，天也，故稱乎父；坤，地也，故稱乎母。」「詩經‧小雅‧蓼莪」：「無父何怙？無母何恃？」如沒父親，那依靠誰？如沒母親，那依賴誰？「母」引申為對女子尊長的敬稱，如叔母、姑母、舅母、姨母等。亦引申為對老婦之通稱，「史記‧淮陰候傳」：「信釣於城下，諸母漂。」韓信垂釣於城下，看見很多老婦在水邊洗衣。另乳母（俗稱奶媽）亦曰「母」。對雌性禽獸類亦曰「母」，以金錢生息的稱「母錢」。

◆今意

盤古至今，「母」之本義始終未變，故知「母親」之偉大。古人稱誕日（自己的生日）為母難日，「湛淵靜語」中蜀人劉極齋每年生日時，必齋沐焚香端坐，因當天是「父憂母難之日也！」現在過生日都是高高興的慶祝，倒是「母親節」已被全球肯定，最早是美國迦維絲女士為安慰在歐洲戰場上陣亡的將士遺孀及老母，於一九一九年在美國費城發起，訂定每年五月的第三個星期日為「母親節」，瞬間蔚為風潮，至今已成重要節日之一了！

「母親」一辭較文言，現在稱「母親」都叫「媽媽」，以前寫信「母親大人膝下」，現在一聲「媽」就妥當啦，不但拉近了母子之間的距離，還多了些親切感！

行楷

金文

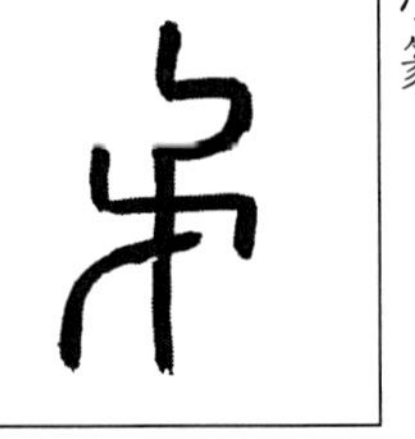
小篆

行書

金文：中間是一根直而長的兵器，上端尖銳，柄的左右有兩耳環，以繩革穿之可固定在兵車上攻擊敵人，是個象形字

小篆：是金文的體形，小篆的筆法，字形較美，但已無長柄兵器的形象。

楷書：由小篆的筆法轉換而來。

矛之簡化字與繁體字相同。

◆古義

《說文》：「矛，酋矛也，建於兵車，長二丈，象形。」矛是用繩革綁在兵車上的長柄兵器，亦可以用手持之作戰。「詩經・鄭風・清人」：「二矛重英，河上乎翱翔。」兩支矛都雙重的飾有羽毛做成的瓔珞，在黃河邊上自在飛舞。二矛之另一說法是指「酋矛」、「事矛」兩種，以長短不同而命名，「酋矛」長二丈，「夷矛」長兩丈四尺也。「矛」亦可以手投擲，「尉繚子・制談篇」：「殺人於五十步之內者，矛戟也。」古之作戰，以矛攻之，以盾禦之。「韓非子・難勢」：「楚人譽其盾之堅曰：物莫能陷也；俄而又譽其矛之利曰：物無不陷也；聞者謂：『以子之矛，陷子之盾，何如？其人弗能應也！』後人遂以言論行為自相抵觸比喻為「矛盾」也！

◆今意

矛曾是十八般武藝練功的兵器之一，現在除了少林寺或武館等地外，已見不到「矛」了，現代戰爭除了偏遠部落或土著叢林戰外，幾已絕跡，倒是韓非子寓言中所留下的「矛盾」一詞，仍是吾人生活應對中常用的貼切用語之一！如捨「矛盾」一詞，則對「言行自相抵觸」者，再無其他更傳神的比喻了！是故吾既常用此詞，就要知道其出處，所謂知其然，亦知其所以然也！

現在有一種定律稱「矛盾律」，舉凡事物道理一經肯定，就不能加以否定，反之，一經否定，就不得同時肯定的律則。

「矛頭」指向誰，誰就成眾矢之的，故而凡事莫要強出頭，聚焦之後，福禍難料。

行楷

金文

小篆

行書

金文：上面是個「八」，表示分開之義，下面是一頭牛，表示將牛從中間分成兩份，是個會意字。

小篆：「牛」字一豎較長，與金文大致相似。

楷書：由小篆直接轉換而來。仍可看出分牛之義。

半之簡化字與繁體字相同。

◆古義

《說文》：「半，物中分也，從八從牛，牛為物大，可以分也。」用體積較大的牛來表示可以將其從中間分開成兩半之義。「禮記・學記」：「不善學者，師勤而功半。」不會讀書的人，老師再認真，也只能收到一半的功效。故知「半」之本義為二分之一。女婿稱半子。「唐書・回紇傳」：「今婿，半子也。」「百年」常用於形容人的一生，而「半百」即指五十歲也。「半面之交」或「半面之緣」語出「東漢・應奉」識人力極強之典故，後泛指舊曾相見一面而無深交者。「半部論語天下」是指宋朝宰相趙普，以半部論語輔助宋太祖定天下，以另一半論語輔助宋太宗致太平。「半」另有一讀音（判），是指較一半稍多的「大片」、「大塊」之義。「漢書・李陵傳」：「令軍士人持二升糒，一半冰。」每人拿兩升乾飯，一大片冰。

◆今意

「半」字至今運用極廣，學生票叫「半票」，衣物等打對折叫「半價」，沒啥學問卻又愛「現」叫「半桶水」。學藝功虧一簣稱「半瓶醋」或「半吊子」。詩詞中亦常見一些醒世佳言。「公門裏面好修行，半夜敲門心不驚。」清・王九齡：「世間何物催人老，半是雞聲半馬蹄。」唐・元稹！「取次花叢懶廻顏，半緣修道半緣君。」清・張問陶：「留得累人身外物，半肩行李半肩書。」這些詩句能讓我們更瞭解「半」的深層義意！

現在的人生活條件好，三高伴隨上身，一不注意就腦中風「半身不遂」。人生如同「半截入土」，故知健康之重要，有「高血壓」、「高血脂」、「高血糖」的患者一定要控制得宜。

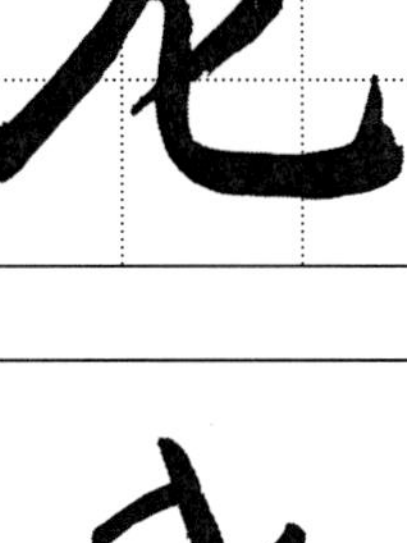
行楷

甲骨文

金文

小篆

行書

甲骨文：左邊是一個面朝左，體型高大，表示高高在上的人，右邊是個面朝右，體型較小的人，表示沒有身分的常人，高高在上的人坐在他背上，是個會意字。

金文：右邊的下人已完全被左邊的人坐在身上。

小篆：由金文演變而來，下面的小人與甲骨文同。

楷書：由小篆演變而來，已看不出兩個人形。

尼之簡化字與繁體字相同。

◆古義

《說文》：「尼，從後近之人也。」一個高高在上的人，從一個平常人的身後去接近他，從正面可能會把人嚇跑。「徐鍇曰」：「尼猶昵也。」「昵本作暱」，親也、近也之義。「爾雅釋詁」：「尼者，近也。」「尸子」：「悅尼而來遠。」喜歡親近別人，就會有遠方的人來親近你。「左傳・襄公二年」：「其誰昵我」。有誰來親近我這在高位的人呢？「昵昵」兩字疊用，是親切暱近之義，如「韓愈・聽穎師彈琴」詩：「昵昵兒女語，恩怨相爾汝。」「尼」亦引申為「阻止」之義。「孟子・梁惠王下」：「行或使之，止或尼之，行止非人所能也。」人的行止，必有人指使或阻擋。「尼」亦指「女僧」，俗稱「尼姑」，「比丘尼」是梵語。

◆今意

「尼」之本意為「親近」，「史記・孔子世家」：「叔梁紇與顏氏禱於尼丘，得孔子，故名丘，字仲尼。」尼丘是山名，亦稱「尼山」，在山東曲阜東南；且「尼」亦被專用於「女僧」，自此，。後人遂以「昵」、「暱」代替「尼」之本義。如今「尼」則大部分用於稱呼為「尼姑」或其住處「尼姑庵」。至於「阻止」之義已不常用。餘者多於外來語的翻譯用字，如「尼龍布」、「尼古丁」、「尼羅河」、「尼加拉瓜」、「尼布羅條約」等。

「尼父」是孔子的謚稱，千百年來無人敢僭用。

現在要「阻止」「阻擋」別人，千萬別說「尼」，沒人聽得懂，還是用口語話的「阻止」比較妥切！

行楷

甲骨文

金文

小篆

行書

甲骨文：左邊是一個小孩子，右邊是一個面背小孩且半蹲著的大人，表示要把小孩揹起來，是幼小的意思，是個象形字。

金文：大人與小孩的位置對換了，大人在左，幼兒在右，仍然是揹起小孩的意思。

小篆：左邊的象形人形變成了字形，是「人」字旁，右邊仍是個「子」字，是小篆的寫法。

楷書：由小篆直接轉換而來，由象形變成字形。

仔之簡化字與繁體字相同。

◆古義

「仔」（音宰）之本義為幼小，指尚未長大的動物，如豬仔、牛仔、羊仔等。粵語稱物之小者曰「仔」，對還沒長大的小孩暱稱「小仔子」。由幼小引申為細小、仔（音子）細、精細、小心等，凡事小心謹慎，用心琢磨而不輕率。蘇東坡給王安石的詩：「秋花不比春花落，說與詩人仔細吟。」秋天的花不像春天的花那麼容易凋零，請「王大詩人」好好琢磨琢磨。「仔」的第三種讀法是讀（姿），表示責任，如大人揹著小孩，是一種責任。「詩經・周頌。敬之」：「佛時仔肩，示我顯德行！」輔助我担起重任，指點我光明高尚的德行。

◆今意

現今「仔」仍常用於「仔細」，處處要小心、留神。亦用於對小孩的暱稱。現在有個新名詞叫「牛仔」，是指十九世紀時期美國德州及西部平原農牧場裡的工人，喜歡穿牛仔褲戴西部圓高帽，騎馬牧牛羊，歐風東漸後，牛仔褲亦成為東方人的最愛，不論老少，一襲牛仔裝輕鬆瀟洒，自由自在！最早的牛仔褲是以帳篷布製成的工作服，後來改用粗斜紋等較厚布料，此時「仔」讀音為（宰）。

對很親近、熟悉的朋友或晚輩才能稱對方為「小仔子」，表示親熱、幽默可使氣氛融洽。如果沒那份親情、友情，千萬別托大亂用，以免傷了和氣！

行楷

甲骨文

金文

小篆

行書

甲骨文：三條橫線是三塊玉石，中間是一根繩子把三塊玉石穿成一串，最上方分叉的部分是繩頭，是個象形字。

金文：三橫一豎，繩頭繩尾都不見了，像個王字，但中間的一橫離上橫較近，離下橫較遠。

小篆：與金文相同。

楷書：中橫稍短，下橫較長，右下方多加了一個點，以與「王」字區別。

王之簡化字與繁體字相同。

◆古義

《說文》：「玉，石之美者。」是一種呈半透明狀的漂亮石頭，質地潤滑而堅硬。古人視玉石為寶物，認為玉有仁、義、智、勇、潔五德。「五音集韻」：「烈火燒之不熱者，真玉也。」「詩經．大雅．棫樸」：「追琢其章，金玉其相。」追者，雕也，章者，外表也，相者，本質也。他們的外表像經過雕琢一樣華麗，他們的內在像玉石般具有五德。「玉」當動詞用時為「珍愛」、「重用」之義。「詩經．大雅．民勞」：「王欲玉女，是用大諫。」君王珍愛你，想要重用你，所以真誠的勸諫你。

◆今意

古人視玉器為寶，穿金戴玉顯示身分，用玉雕成的器物、手工藝品稱「玉器」，用美玉雕刻為天子的用的印稱「玉璽」。現在戴玉的以「玉手鐲」居多，其他的玉飾品則較少佩戴。用美玉刻章使用的不多，一般多用木質、牛角、文石等材質刻章使用！尊稱別人的照片為「玉照」，「玉展」是信封上對女性受信人折閱的敬辭，尊稱別人的身體為「玉體」，如「玉體違和」，當動詞用是「幫助」，如「玉成其事」等！

「玉趾」是尊稱別人的言行舉止，現在已多不用。用玉石砌起來的階梯稱「玉墀」，現代建築已不多見。用以表白心胸坦蕩、操守廉潔的「一片冰心在玉壺」的句子現在仍有用之。

行楷

甲

甲骨文

金文

小篆

行書

甲骨文：是古代革製的護身衣，由四片串成，像個田字形，簡化後以一個「十」字形表示革甲，是個象形字。

金文：形體相同，唯筆畫較粗。

小篆：比較具體像個人穿上了鐵甲。

楷書：由小篆演變而來，將古田形革製護衣中間拉長，像人的身體，更為具體。

甲之簡化與繁體字相同。

◆古義

「甲」為古時軍人穿的革製護身衣，作戰時用以保護身體。後演變為鐵製。「在傳・成公二年」：「擐甲執兵。」擐（音患）者穿也，義謂披上鎧甲，拿著兵器。「左傳・宣公二年」：「伏甲將攻之。」埋伏了穿著鎧甲的兵士準備攻擊。故知甲之本義為「護身衣」、「鎧甲」。後被借為十天干中第一位，此後，凡「第一」多用「甲」表示，如「桂林山水甲天下。」「陽朔山水甲桂林。」由護身衣引申形容堅固的外殼，如龜、貝等甲介動物的外殼，龜甲獸骨上刻的文稱甲骨文，車輛中的「裝甲車」、手與腳尖端的「指甲」等。古時「甲」亦通「狎」。狎者，非常親近也「詩經・衛風・芄蘭」：「雖則佩韘（音射），能不我甲。」雖然佩戴了鉤弦的韘，卻不跟我親近。

◆今意

古時的鎧甲，每個士兵都穿，現在是用「防彈衣」，警察、公安等出特勤任務時才穿，古時由皇帝親自主持並出題的殿試，其錄取名單稱「甲榜」，亦即「金榜」，共分三甲，一甲為狀元、榜眼、探花，賜「進士及第」，二甲賜「進士出身」，三甲賜「同進士出身」。現今已無此科考制度。公務員、工商界人士、學生等之績效常以甲、乙、丙、丁等級表之，古之「富甲一方」，今稱「首富」，而「保甲」制度，發現今多稱「村、里、鄰」等。

晚上七到九時古稱「甲夜」，後稱「初更」，今說「華燈初上」。

古時「滿城盡戴黃金甲」，今則機艦坦克加飛彈。

古之富豪「甲第連雲」，今者是高樓豪宅，占地沒那麼大。

行楷

田

甲骨文

金文

小篆

行書

甲骨文：是一塊長方形的田地，中間縱橫分割了許多小塊，塊數不等，但多以均等之六塊表示，是個象形字。

金文：較甲骨文簡化為四份，中間的十字形仍表田埂。

小篆：與金文相同。

楷書：由小篆筆法轉換而來，其形較正方。

田之簡化字與繁體字相同。

◆古義

《說文》：「陳也，樹穀曰田，象四口十阡陌之制也。」陳者，排到也，排列種植五穀謂田，像四個口，中間有田埂。「詩經・齊風・甫田」：「無田甫田，維莠驕驕。」甫者，大也，不要去耕種大田，因爲田愈大，莠草愈多，穀物就長不好。土已耕，將稻麥等五穀塡滿其中謂之「田」。周朝時有「井田」制，將田畫爲九等份，外八份爲私田，中爲公田，「詩經・小雅・大田」：「雨我公田，遂及我私。」光澤公田，後潤私田，古人之胸襟也。「田」亦古「畋」字，畋（音田）者，既是耕田，亦指打獵。「詩經・鄭風・叔于田：巷無居人。」小哥去野外打獵，家門口的巷子像沒人居住。「佃」亦指耕作，多爲向他人租地耕作之義，如「佃户」、「佃農」等。

◆今意

「田」今不僅用於種植五穀稻麥，舉凡任何雜糧、蔬菜、水果皆可稱之！因人類私心愈來愈重，只顧私田，不管公田，故「井田制度，」早已廢棄不用！「田獵」一詞也之過時。現今在操場上一定範圍內所舉辦的運動比賽，如跳高、跳遠、撐竿跳、鉛球、鐵餅、標槍等，稱「田賽」，而有路徑的比賽如百米賽跑、接力賽、跨欄等稱「徑賽」，合稱「田徑賽」，此處之田非耕地，乃運動之地也！

「田父」是指老農，「田舍翁」是指農家的老人。「田舍子」、「田舍漢」是指農夫，「田舍奴」是指農家子，現均已少用。

我很喜歡「王維：渭川田家」的詩：「田夫荷鋤立，相見語依依。」那種農村安逸祥和的情境，令人嚮往！

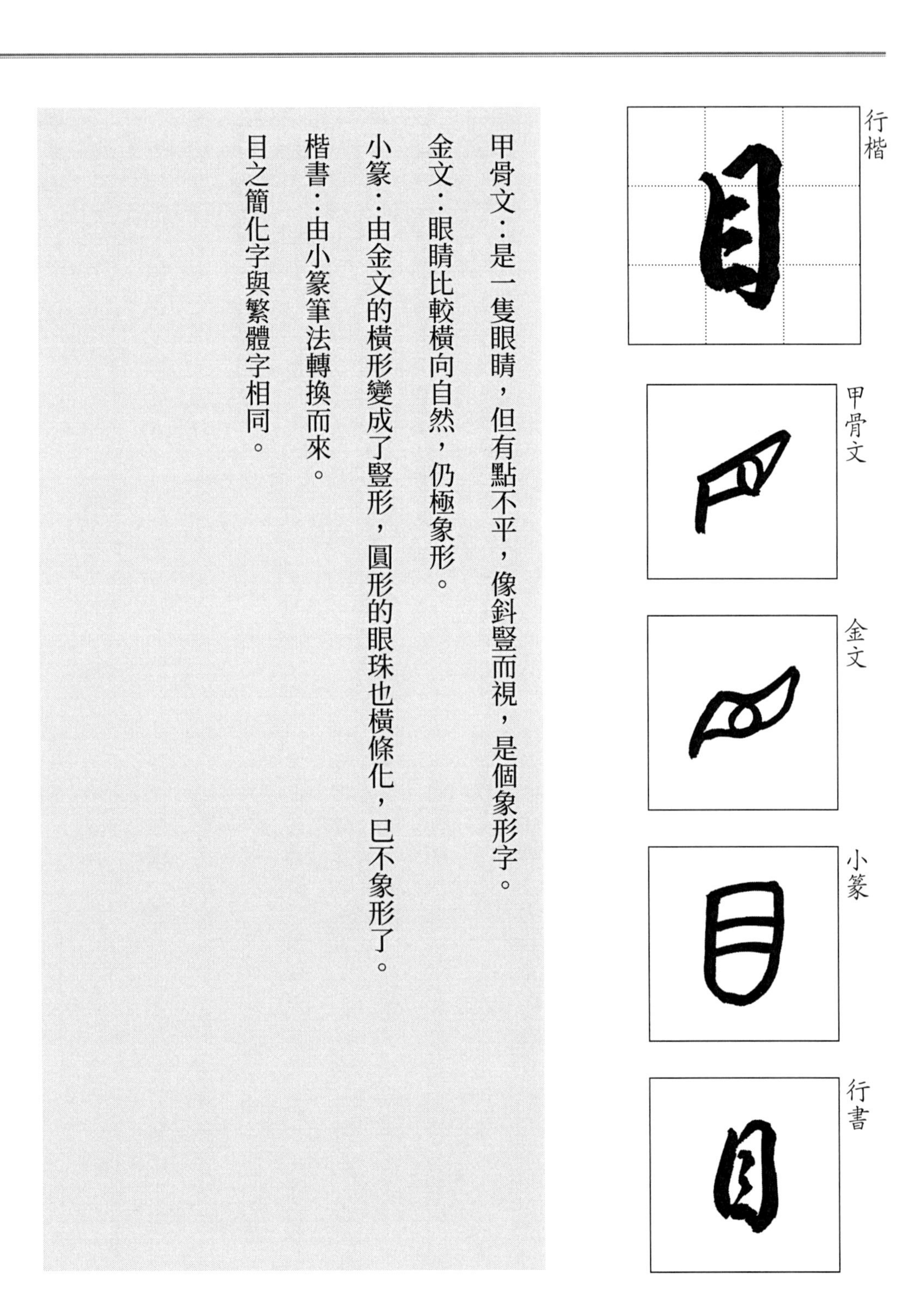

甲骨文：是一隻眼睛，但有點不平，像斜豎而視，是個象形字。

金文：眼睛比較橫向自然，仍極象形。

小篆：由金文的橫形變成了豎形，圓形的眼珠也橫條化，已不象形了。

楷書：由小篆筆法轉換而來。

目之簡化字與繁體字相同。

◆古義

《說文》：「目，人眼，象形。」「目」即人的眼睛，其本義即為「眼睛」。「禮記・郊特牲」：「目，氣之清明者也。」如肝火旺盛，眼必充血而紅，必不清明也。「詩經・齊風・猗嗟」：「美目揚兮，巧趨蹌兮，射則臧兮。」他揚起漂亮的眼睛，步履從容輕快，他的射藝也很高明。「博雅」：「目，視也，凡注視曰目之。」進一步更有動目以示意，「前漢・高帝紀」：「范增數目羽擊沛公。」范增數次以目示意項羽攻擊沛公。目亦指「項目」、「條件」。「論語・顏淵」：「請問其目。子曰：非禮勿視，非禮勿聽。」顏淵問實踐的條件，孔子說不合禮的不看、不聽、不說、不動。將各種同質同類之物品彙整其名編列，以便查考者稱「書目」，「劇目」、「影視目錄」等。

◆今意

「目」是眼睛，「眸」是黑眼珠，「明眸皓齒」是眼珠子黑而亮，牙齒潔而白。「目使頤令」及「目指氣使」都是形容有權、有錢、有勢的人，自以為高高在上，對其下屬或朋友擺架子、顯威風，眨眼動腮指揮別人的樣子，當今社會，類此頗多。更有甚者，有權有錢以後，就「目中無人」、目空一切」、終至「目無法紀」，讓人看了「目瞪口呆」！這類人可以說是「目不見睫」，自己的眼睛看不見自己的睫毛，無自知之明也！

眼瞎叫「盲目」，意指沒有定見及目標，人云亦云，一昧「盲從」，太危險啦！

古人讀書「目不窺園」，閉門專心用功，不會偷看園中風景，今之學子能及者鮮也！

行楷

甲骨文

金文

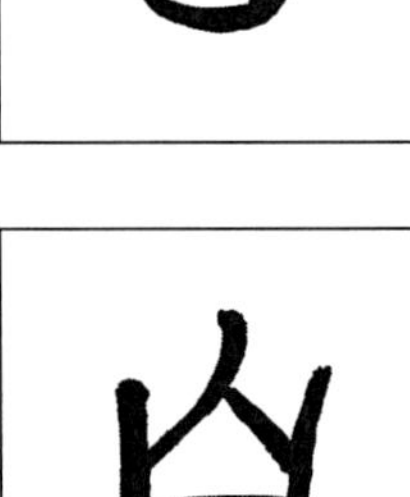

小篆

行書

甲骨文：上尖下圓，是一個燃燒的火苗，中間像是燭火的芯，是個會意字。

金文：與甲骨文相同，其義未變。

小篆：像個火盆，盆裡有燃燒的木材等燃料，尖端有火苗冒出，較金文更能表義。

楷書：由小篆演變而來，已不見火苗。

白之簡化字與繁體字相同。

◆古義

「禮記・檀弓」：「殷人尚白。」白乃光明、明亮之義，「蘇東坡・赤壁賦」：「東方既白。」太陽自東方升起，故東方明亮也！「光明」之色曰「白」，固其素淨、潔白、像雪。「禮記・玉藻」：「君衣狐白裘。」以白狐之毛皮製成之裘也！「白」亦「罰酒」之義。「漢劉向・說苑」：「魏文侯興大夫飲，使公乘不仁爲觴政，曰：飲不釂者，浮以大白。」魏文侯宴請諸大夫，命公乘不仁執行酒令，凡杯中酒沒喝完的，就罰酒一滿杯。「詩經・小雅・裳裳者華」：「裳裳者華，或黃或白，我覯之子，乘其四駱。」「裳裳」指鮮豔，「華」爲古「花」字，「覯」乃「見」也。「白」亦有「陳述」、「敘述」之義。「柳宗元・童區寄傳」：「虛吏白州，州白大府。」小官吏向州長陳述實況，州長又再向上陳述。

◆今意

「白」是「黑」的對色，「黑白」又是彩色的對色，彩色是指太陽光線所含紅、橙、黃、綠、藍、靛、紫等七色。「白山黑水」指長白山和黑龍江，亦泛指中國東北地區。「白丁」是指一般平氏，而非指「目不識丁」的人。「白文」是指書中不加注解的正文。「白描」是國畫的一種，亦稱「鉤勒」。「白藥」是雲南著名治刀創傷的中藥。「白墨」是課堂上老師所用粉筆的別稱。「白話文」乃依現代語言所寫的文章，也稱語體文。

古稱貧苦的讀書人為「白士」，無官職的人為「白衣」，無科舉出身的為「白身」，稱窗户為「白間」，今都已不用！

「白領階級」是指收入微薄的小職員為業務勉力穿著白領服飾，今則已成小職員的通稱。

行楷

甲骨文

金文

小篆

行書

甲骨文：這是鳥類身上的羽毛，是個象形字。

金文：仍是兩根羽毛的形狀。

小篆：羽毛較金文多了些。

楷書：由小篆的筆法簡化而來。

羽之簡化字與繁體字相同。

◆古義

《說文》：「羽，鳥長毛也。」鳥類翅膀上長長的羽毛也，此即「羽」之本義也！翅之羽亦引申為「翅膀」，「詩經・周南・螽斯」：「螽斯羽，詵詵兮。」螽斯是蝗類，多子，振羽出聲，「詵詵」是眾多貌，一羣螽斯振動著翅膀，羽聲盛亮啊！「詩經・豳風・七月」「五月斯螽動股，六月莎雞振羽。」「動股」指振翅發聲，「莎雞」是蟲類，俗稱紡織娘，五月時螽斯振翅發聲，六月時紡織娘抖振其翅。以鳥羽製成之衣稱「羽衣」，穿上「羽衣」，有神仙飛翔之義，唐朝楊敬忠曾献「霓裳羽衣曲給唐玄宗。「白居易・長恨歌」：「漁陽鼙鼓動地來，驚破霓裳羽衣曲。」因神仙能飛翔變化，故成仙謂之「羽化」。「蘇軾・赤壁賦」：「飄飄乎遺世獨立，羽化而登仙。」以羽為扇稱「羽扇」。三國時，兩晉名士流行揮羽扇，著綸巾，「綸（音官）巾」是絲織頭巾。「蘇軾・念奴嬌」：「雄姿英發，羽扇綸巾。」「羽」亦五音之一，五音乃古時音樂中的宮、商、角、徵、羽」五種音調。

◆今意

常聽人說：「你羽翼已豐，翅膀硬了，想單飛了！」人無羽翼，以鳥喻之，倒也貼切！古時稱「道士」為羽人」、「羽士」、「羽客」、「羽流」等，蓋因人得道，身生毛羽，可飛昇為仙也！今對信奉道教的人多稱「道士」。鳥羽耐寒，故今之禦寒衣，被有用羽絨作的，稱之為「羽絨衣」、「羽絨被」，價格不菲，但比貂皮大衣經濟實惠又人道！打羽毛球是很好的運動，老少咸宜，沒事揮兩拍，比揮桿「高爾夫」容易！

「羽觴」是古時候的酒杯，兩旁有頭尾羽翼，狀似鳥形，現在的酒杯已不用羽毛羽翼做裝飾了。

行楷

甲骨文

金文

小篆

行書

甲骨文：甲骨文中以「又」代替「有」字，「又」的初形是隻右手的形狀，後由手形轉化為文字符號，原是個象形字。

金文：下面加了一個「月」字，是肉形」之意，以手持肉表示手中有肉，民以食爲天，有肉表示有了一切，是「無」的對義字。

小篆：由金文演變而來。其義與金文相同。

楷書：手形移到左邊，已看不出手的形狀，下部採用金文的「月」形，筆法簡化。

有之簡化字與繁體字相同。

◆古義

「春秋傳曰」：「日月有食之，從月，又聲。」就全地球而言，日食多於月食；就單一地區而言，則月食多於日食，故古人從「月」。「食」亦即「蝕」也。「有」即「持有」、「擁有」。「詩經・小雅・魚麗」「君子有酒，旨且有。」君子有酒啊！有美又豐富！第二個「有」字亦表多、豐富之意。「詩經・魯頌・有駜」：「自今以始，歲其有。」從今天開始，年年豐收之謂也！「有身」即懷孕，「傳曰」：「身重也。」蓋身中復有一身謂之「重」。「有室」即有家、有妻也。古時妻居室中，故呼妻為室。「有道」即有道德者也！

◆今意

至今「有」之「持有」、「擁有」之古義未變，「有」是「無」的反義詞，如「白手起家，從無到有」。常看字畫中作者落款「時年八十有八」，這「有」即「又」或「加」之意。「佔為已有」是個貶義詞，不該擁有而持有也！有些「有」是抓不住的，要憑感覺，如李清照「東籬把酒黃昏後，有暗香盈袖。」

現代人注重養生，要吃「有機食物」，「有機蔬菜」！有閒錢閒情則買些股票、期貨等「有價證券」，這些如同存款不必「持有」，都在帳戶裡！

我很喜歡！「宋，無門和尚，頌」：「春有百花秋有月，夏有涼風冬有雪，若無閒事掛心頭，便是人間好時節！」假如心中沒有煩惱，看人間萬事萬物，無一不美也。

行楷

甲骨文

金文

小篆

行書

甲骨文：是一個羊頭的形狀，頂上是一對下彎的羊角，角下是嘴巴。牛角則是往上彎，兩者都是個形象字。

金文：羊角不變，中間的兩橫表示耳朵與嘴巴。

小篆：除羊角部分外，其餘大致相同。

楷書：由小篆演變而來，「角」形筆法化，中間變成三橫，羊之簡化字與繁體字相同。

◆古義

《說文》：羊，祥也。孔子曰：牛羊之字以形舉也。」「羊」古與「祥」通，「羊」與「牛」均為以形為字的象形字。羊有山羊、綿羊兩種，幼小時稱「羔」，長大後稱「羊」「詩經・召南・羔羊」：「羔羊之皮，「素絲」五紽。」素絲是白色的絲線，「五紽」「五」是交叉之義，「紽」是縫合接縫處，小羔羊做成的袍子，用白絲線把接縫處縫好。「禮記・曲禮」：「羊曰柔毛。」羊毛柔輭，常以之製筆，稱「羊毫筆」，狼毫就硬，稱「狼毫筆」。「羊」與「祥」音韻相似，故常借「羊」為「祥」而通之，如「漢。元嘉刀銘」：「大吉羊。」「漢。十二辰鑑」：「辟除不羊。」皆此。「羊」亦姓氏之一，為「羊舌氏」之後也。

◆今意

「羊」乃六畜之一，尤為北方遊牧民族的主要生計，至今「羊」仍通「祥」，但除「吉羊」外，其餘並不被廣泛運用。倒是「羊左之交」的典故大家需要知道，戰國時左伯桃與羊角哀二人為生死至交，聞楚王賢，往尋之，途中遭遇大風雪，衣薄糧少，二人深知只能保住一人，伯桃對哀說：「我的學問不如你，你一個人去吧！」遂將既有衣服糧食送給羊角哀，自己躲入空樹中避寒而亡，羊角哀至楚後拜為上卿，顯赫當世，後人以友情甚篤為「羊左之交」！

交友不要以名利酒肉為先，要以真誠至情為重，今人雖難做到「羊左之交」，但應效其高潔，悟其真諦！

行楷

甲骨文

金文

小篆

行書

甲骨文：像兩頰及嘴巴下面下垂的鬢毛及鬚毛，是個象形字。

金文：由甲骨文演變而來，有臉的形狀，兩邊鬢毛較長，嘴下鬢毛較短。

小篆：由金文演變而來，形體大致相同。

楷書：由小篆筆法演變而來，鬢鬚依稀能見。

而之簡化字與繁體字相同。

◆古義

《說文》：「而，頰毛也。」頰者，面之兩旁也，俗稱嘴巴，頰毛即指鬢毛及鬍鬚，戴震注「周禮」：「頰側上出者曰之，下垂者曰而。」亦即鬢鬚向上者稱「之」，下垂者稱「而」。其後「而」字轉爲「語助詞」、「轉接詞」等後，其本義即消失不用了。「詩經・齊風・著」：「俟我於庭乎而，充耳以青乎而。」他在庭院中等我喲，在冠冕兩旁掛著用青絲線穿成的玉飾。「論語・學而」：「學而時習之，不亦說乎？」

而者，並也、仍然也。「而」亦有「如」意，「詩經・小雅・都人士」：「彼都人士，垂帶而厲。」而厲，鞶（音盤）厲也，大的帶子也。那京都的男士，腰間有下垂的長帶。亦用於「承接詞」，有「又、則、因此、之後」等義。「論語・爲政」：「三十而立，四十而不惑，五十而知天命。」亦有「與」、「及」、「以」、「但是」等義！

◆今意

「而」之鬍鬚」古義早已不存，但其用於承接，語助、轉接等處頗廣，類如「而且」、「而已」、「而後」，「然而」等。「而今」是指歷盡滄桑，經歷過許多事情之後，「現在」、「當下」、「如今」的想法，用得最傳神的是「宋・辛棄疾・醜奴兒」：「而今識盡愁滋味，欲說還休，欲說還休。」以及「西江月」：「而今何事最相宜，宜醉、宜游、宜睡。」完全不同的領悟啊！

「而立」是三十歲的別稱，人說而立之年就是已經三十歲了。

我們常說的「而今而後」是指從今以後。從今以後要如何呢？要「庶幾無愧」！「南宋・文天祥」說得好：「讀聖賢書，所學何事，而今而後，庶幾無愧！」

行楷

甲骨文

金文

小篆

行書

甲骨文：上有三個小點，下有三個小點，這六個小點表示米粒，中間的一橫是個篩米的篩子，

把米倒在篩子上往下篩，是個象形字。

金文：與甲骨文相似，其義亦同。

小篆：由金文演變而來，只是中間的一豎連起來了。

楷書：字形與小篆相同，是楷書的筆法。

米之簡化字與繁體字相同。

◆古義

《說文》：「米，粟實也，像禾實之形。」「粟」者，葉似玉蜀黍，高一公尺餘，果實有黃、白、赤等色，俗稱「小米」，是「黍」、「稷」、「粱」、「秫」的總稱，亦是中國北方主要的糧食。「周礼・地官」：「舍人掌粟米之出入。」「舍人」乃明朝以前之官名，主理宮中用穀之事也！「粟」之實稱「米」，故引申為凡物之實亦多稱「米」，如「菰米」、「薏米」等，因其「粒」小，故小者亦稱「米」，如「蝦米」、「玉米」等。「米」是民生必须食品，米價如貴，百姓生活必然清苦，「戰國策。楚策三」：「楚國之食貴於玉，薪貴於桂。」此即「米珠薪桂」之成語也，形容米價如珍珠般貴，柴價如桂枝般貴也。「米」亦「姓」也，最有名者為「米芾（音福）」，宋朝襄陽人，字元章，妙於翰墨，向別人借古本字畫，臨拓後竟難分真贋，與蘇軾、蔡襄、黃庭堅並稱「宋四家」。

◆今意

今稱「稻」之實為大米，是南方人的主要糧食，若要吃碗小米粥、餡餅，必需到北方館子去才能吃到。「柴、米、油、鹽、醬、醋、茶」為家庭主婦開門的七件事。晉代陶淵明在做彭澤令時，「不為五斗米折腰」是不願為微薄俸祿而阿諛奉承。現代人過八十八歲生日時，稱「米壽」，因「米」字是「八十八」的組合也！古人對言語煩瑣冗長稱「米鹽博辯」，今人則說「了無新義」、「囉哩囉唆」，例也簡單明瞭！

不事生產，厭惡勞動，每日飽食終日，無所是事，對家庭，社會毫無貢獻，只知吃閒飯的人，稱為米蟲！但現在有人把退休的老人亦稱為「米蟲」，實乃大不敬，大不宜也。

「米蛀蟲」是罵操縱米價的奸商。

行楷

甲骨文

金文

小篆

行書

甲骨文：上半部是鼻樑的構造，下半部是鼻孔的樣子，畫個鼻形代表「自」己，是個象形字。

金文：由甲骨文簡化而來，仍有鼻形。

小篆：與金文形體相似，但已不見鼻孔。

楷書：由小篆筆法轉換而來。

自簡化字與繁體字相同。

◆古義

《說文》：「自，鼻之本字，讀若鼻。」甲骨文的字形即一鼻子的形狀，人常以「食指」指著自己的鼻子表示「我自己」，故在經史子集中常借「自」代表「自己」或「第一人稱」。《易經，乾卦》：「天行健，君子以自強不息。」日月運轉周而復始，君子要自己奮發向上，永不懈怠。「易經・需卦」：「自我致寇，敬慎不敗也。」雖因自己而招來寇賊，但只要謹慎小心，即能立於不敗之地也。故知「自」亦有「從」、「由」之義。「論語・學而」：「有朋自遠方來，不亦樂乎？」「詩經・周頌・執競」：「自彼成康，奄有四方。」「奄有」即擁有，從成王、康王開始，就擁有了天下。亦有「本然如常」之義：如「曾參殺人，其母尚織自若也。」「自」亦有「用」、「雖然」等義。「自」被借用為「自己」後，後人在「自」下加「畀（音必）」為鼻，以專表「鼻」子，並諧其音。

◆今意

除了成語典故外，今之一般用語多用指「自己」、或介詞中的「從」南到北、「由」東至西等。古有「宋・姜夔」「自作新詞韻最嬌小，小紅低唱我吹簫。」的意境，今有「自恃自滿」，「只要我高興，有什麼不可」以蠻橫，古有「唐・張九齡」：「自君之出矣，不復理殘機。」的思念，今有刀郎唱的「西海情歌」：「自你離開以後」的落寞。人不要「自大自狂」、「自滿自足」、「自私自利」，人要「自我反省」、「自強自信」、「自勉自謙」，所謂「人必自辱而後人辱之」，所以最重要的是「自尊自重」！

人要懂得「自我」，要有勇往直前，努力不懈的精神，但不能「自大」。

人要「自助」、「自省」，但不能「自私」、「自負」！

行楷

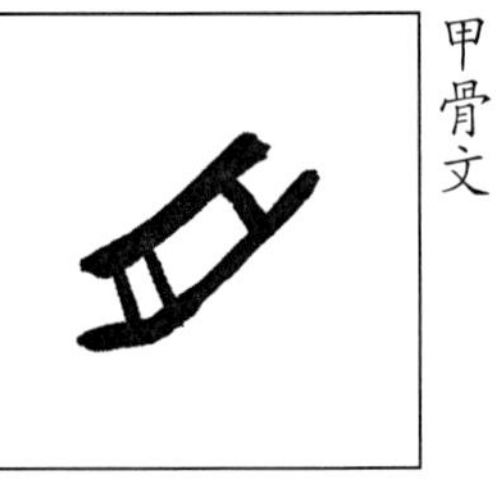
甲骨文

金文

小篆

行書

甲骨文：是船的初形，兩根主木為脊樑，中有橫木連結，是個象形字。

金文：船身變平行，三條橫木平均分布，仍是象形的結構。

小篆：承襲甲骨文的豎形，但已轉為文字筆法。

楷書：由小篆之形體演變而來，隱約仍有船形。

舟之簡化與繁體字相同。

◆古義

《說文》：「舟，船也。」「易經•繫辭」：刳木為舟，剡木為楫，舟楫之利，以濟不通，致遠以利天下。」「刳（音枯）」者，用刀把裡面挖空，「剡（音眼）」者，斬斷，「楫」即划水使船前進之槳也，有船有槳，才能遠行天下，澤被四方也。「楊子方言」：「關西謂之船，關東謂之舟，今吳越皆謂之船。」函谷關以西包括陝西、甘肅等地稱「船」，函谷關以東包括河南、山東等地稱「舟」，江蘇與浙江紹興兩地都稱之謂「船」。「舟」亦有「帶」、「圍繞」之義。「詩經•大雅•公劉」：「何以舟之？維玉及瑤。」「舟」者，圍繞也，「瑤」美玉也。用什麼圍在腰上呢，只有美玉啊！「水能載舟，亦能覆舟。」故古人稱放茶碗的托盤為「茶舟」，今人亦稱「茶船」。

◆今意

今之「舟」已全無「帶」義，而泛指小船了，口語化都說「小船」，文言文雅點則說「舟」，如古稱「舟子」，今謂「船伕」•「唐•李白」：「人生在世不稱意，明朝散髮弄扁舟。」如說成「弄小船」，那就完全沒那個味兒啦！大船不能叫「舟」，孫吳火燒連船，使曹操兵敗赤壁，那種大船叫「戰船」。現在以機械動力開行的船叫「輪船」。隨著科技的發達，船愈做愈大，用於軍事者稱「軍艦」，以核能為動力者稱「航空母艦」等，「舟」大概用於假日河川「泛舟」之用了！

古之「舟師」即水軍，今則稱「海軍」！「論語，公冶長」：子曰：「道不行，乘桴浮於海。」這「桴」是指「木筏」「竹筏」，比「舟」要小多啦！

行楷

金文

小篆

行書

金文：竹子的形狀，兩根筆直並排而立的竹子，中有下垂的竹葉，是個象形字。

小篆：與金文相似，僅葉子下垂較長。

楷書：由小篆字形演變而來，樹葉跑到竹尖上去了，但字義相同。

竹之簡化字與繁體字相同。

◆古義

《說文》：「竹，冬生青草，象形。」竹乃多年生禾本科植物，常綠而莖堅如木，中空而竹身有節，地下莖所生嫩芽稱「筍」，筍多生於春月。竹之種類甚多，有孟宗竹、苦竹、淡竹等。「詩經・衛風・淇奧」：「瞻彼淇奧，綠竹猗猗。」「奧（音玉）」者，河流轉彎處，「猗猗」指茂盛。看那淇水轉彎的地方，綠色的竹子長得多茂盛啊！竹堅而實，可用於建屋，漢有竹造之「竹宮」。「詩經・小雅・斯干」：「如竹苞矣，如松茂矣。」「苞」指根深也，新宮落成，周王朝有如竹般根深堅固，如松柏般葉茂。竹可殺青成簡作為書寫之用，大事書於簡而編成冊，小事則書於簡牘，統稱「竹簡」，秦時改書於縑素，稱「竹帛」。「竹」亦可製成簫、笛等管樂器，為八音之一。「竹林七賢」是晉時山濤、阮籍、嵇康、向秀、劉伶、阮咸、王戎等高雅七人常聚於竹林之下，暢所欲為稱之。

◆今意

人常以竹喻君子之高風亮節。今之建築多用鋼筋水泥，書寫用紙，竹林已被果園代替，以致竹筍的價格比水果貴！「宋・蘇東坡」詞：「可使食無肉，不可使居無竹，無肉令人瘦，無竹令人俗。」今人則多無此意境，寧可無竹，必要有肉，珠光寶氣，才算不俗。自家庭院種花果的多，種竹的少。唐朝時童子寺有竹林一片，才長了數尺，寺裡管理事務的和尚便每日報竹平安，後人稱家書為「竹報」。今之兒童也不「截竹為馬」以為戲了！

古時候建屋多用「竹」，「竹苞松茂」是房屋落成的頌詞，圍籬也用竹，書簡、涼亭、橋樑、及家用農具、曬衣竿等，都離不開竹。現在竹之用途已少多了，想找根竹竿晾衣服都不容易了！

行楷

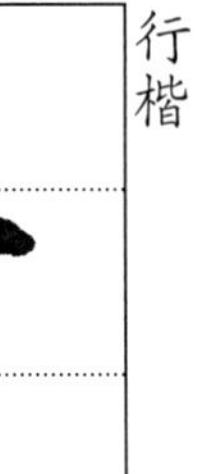

甲骨文

金文

小篆

行書

甲骨文：上半部是一個蓋子，下半部是一個盛液體的瓦器，口小腹大，多用於盛裝酒漿或水，是個象形字。

金文：由甲骨文演變而來，蓋子較瓦器口大了些。

小篆：上面的蓋子中間加了橫桿，變成像個「午」字，午像杵形，是「杵」的本字，缶中杵物也。

楷書：由小篆字型演變而來，已不見瓦器之形。

缶之簡化字與繁體字相同。

◆古義

《說文》：「缶，瓦器，所以盛酒漿，秦人鼓之以節歌。」「缶」乃用之於盛水、盛酒。「易經・坎卦」：「樽酒，簋貳，用缶。」簋（音軌）乃盛肴餚之器，有酒有飲，用瓦器裝之。「左傳・襄公九年」：「具綆缶，備水器。「綆（音梗）」，汲水之繩也，準備好打水用的繩子和瓦器。「缶」亦古樂器之一，秦人善鼓之以為歌聲伴奏。「易經・離卦」：「日昃之離，不鼓缶而歌。」昃（音仄）」，日頭偏西也，已日落西山，雖有餘暉，亦不值得擊缶為樂而歌之也。「缶」即「盎」也，「盎」者「盆」也，「盎」與「盆」不同之處在於「盎」大腹而歛口，盆歛底而寬上。「缶」亦古量器，「缶」與「庾」相同，均為「十六斗」。故知裝米之「缶」面較盛酒之缶大得多了！

◆今意

古石器時代，用缶盛酒裝水，因擊之有聲而用以伴奏高歌。今者，盛酒裝水之器皿不勝枚舉，伴奏的樂器更是五花八門，聲優耳悅。「缶」到現代幾已消失無蹤了，偶在陶製品的瓦盆、甕罈中還能看見一點蹤影。每次看到「缶」這個字總讓我想起孔子過泰山，見一老者擊缶忘憂而歌的故事，這是「知足常樂」的最高境界，「知足常樂」的道理人人都懂，但能做得到的幾希？宜深省之也！

現在釀造酒仍有許多沿用古之缶器盛裝，如紹興酒、黃酒等，做泡菜、醃菜等亦用這種小瓦，器釀泡出來的味道比玻璃器皿要好多了！

行楷

甲骨文

金文

小篆

行書

甲骨文：是一個凹槽的形狀，將米放入而舂之，是舂米的器具，是個象形字。

金文：舂器之中多了四個小點，代表米粒，更具舂米之形。

小篆：由金文演變而來，舂器口稍微往內收了一些，使米粒不易舂之於外。

楷書：由小篆字形演變而來，仍具舂器之形。

臼之簡化字與繁體字相同。

◆古義

《說文》：「臼，舂也，本作臼，隸省作臼，古者掘地為臼，其後穿木石。」小篆中間有四點米粒。隸書簡化寫法為兩粒，古時挖地成臼，後來挖木與石為臼。「易經・繫辭下傳」：「斷木為杵，掘地為臼，臼杵之利，萬民以濟。」將木材折斷當舂米的杵，挖地為臼，杵與臼是萬民生存的依據。故知「杵」與「臼」兩者密不可分，「杵臼之交」是指交友不分貴賤，語出「後漢書。吳祐傳」：公沙穆東遊太學，無資糧，為祐賃舂，祐與語，大驚，遂共定交於杵臼之間。」人的口中有臼齒，上下左右各三顆，共十二顆，用以磨嚼食物，其形如臼，故稱之。凡詩文格調陳舊，了無新義，未能有自己的心得而蹈常襲故者，稱「臼科」，「科」亦作「窠」，後人習慣用作「窠臼」。

◆今意

古人生活必用器具的「臼」，在當今社會已極少用之，偶在農材或能見到以之搗黏米為「糍粑」者外，用於「舂米」者，罕見也！經杵搗之後的「糍粑」黏性極強，為中國西南各省愛吃的甜食之一，現在的家庭院子裡如果仍放有杵臼、磨子等，那都是難得一見的古董了！常有人把「窠（音科）臼」讀成「巢」臼，知道「窠」原為「科」字，就不會犯錯了！在詩裡，常為押韻，將「科臼」倒用為「臼科」！

「臼」多為石製品，與「杵」相輔相成，有如「秤不離坨，坨不離秤。」現在時代進步「杵臼」早被機器代替。

中藥行現仍保有小型的舂藥器，但多以銅鐵製成。

行楷

甲骨文

金文

小篆

行書

甲骨文：一個面朝左的老人，手裡柱著柺杖，右邊的腰部佝僂著，頭頂上有幾根稀疏的長髮垂下，是個象形字。

金文：人形仍朝左，頭髮多了些，柺杖卻不像。

小篆：由金文演變而來，拐杖又變成了「匕」形。

楷書：由小篆字形演變而來，已無「老」形。

老之簡化字與繁體字相同。

◆古義

《說文》：「老，考也，七十曰老。言鬚髮變白也。」考者，壽考也，高齡之謂，古時七十歲稱「老」，此時鬚髮盡白也。「論語・季氏」；「及其老也，血氣既衰，戒之在得。」到了老年之時，血氣已衰，應當戒的是「貪得」。「詩經・邶風・擊鼓」；「執子之手，與子偕老。」握住你的手，和你白頭到老。「與子偕老」是古時「定情」或「成婚」的誓言。古時，公卿、上卿、大夫及其家臣皆稱「老」。老亦有「尊敬之義，「孟子・梁惠王」：「老吾老，以及人之老。」另凡久歷其事手法熟練者謂之「老」，如「老手」，尊稱老者者為「老丈」、「老伯」、「老爺」，老者自稱「老夫」、「老朽」、「老奴」、「老身」。人之死亡亦稱「老」，如「送老」，「某人已老了」、「村裡老了人」等，以避免說「死」字。

◆今意

今日大陸各省仍有許多地方有以「老」代「死」的說法，是「避諱」，亦是「恭敬」，現在年輕人則說「掛了」，似乎少了點「尊敬」。我常說人老的初期有三個特徵；一，以前的事，歷歷在目，眼前的事轉頭就忘。二，躺下睡不著，坐著便沉沉入夢。三，哭的時候沒眼淚，笑的時候涕泗縱横。到了中期，在年輕時話憋不住，尿憋得住，中期以後，話憋得住，尿憋不住！想下樓買份報紙，走到超商門口，卻怎樣也想不起來要幹嘛！回去再想想吧！卻找不到回家的路。到了晚期，那就什麼都不知道啦！

行楷

甲骨文

金文

小篆

行書

甲骨文：與甲骨文相似，是一個面朝左彎腰柱著拐杖的老人，上端是稀疏的長髮，左下方是拐杖，是個象形字。

金文：由甲骨文演變而來，頭髮又少了些，枴杖變成「丁」字形。

小篆：由金文演變而來，形狀筆法化。

楷書：由小篆筆法轉變而來，已不見老人的形象。

考之簡化字與繁體字相同。

◆古義

《說文》：「考，老也。」凡言壽考者，此字之本義也。「詩經・大雅・棫樸」；「周王壽考，遐不作人？」「壽考」指長壽，「遐」即「何」也，周王很長壽，怎能不培育人才？「考」亦指父親，「爾雅・釋親」：「父為考。」「禮記・曲禮」：「生曰父、曰母、曰妻；死曰考，曰妣，曰嬪。」「考」亦為有「成德」之義、「易經・蠱卦」：「有子，考元咎，厲終吉。」有子如此，對亡父而言，無過矣，即使有危險，最終仍吉也。「考」亦有「打擊」之義。「詩經・唐風・山有樞」、「子有鐘鼓，弗鼓弗考。」「鼓」與「考」均打擊之義，你有鐘有鼓，卻不打擊。「考考」指擊鼓聲，「宋・陸游詩」；「五更攬衣起，漏鼓猶考考。」「考」亦「考試」、「考證」、「考查」等。

◆今意

現在，父母往生後，在碑文上仍稱「顯考」、「顯妣」。祝福別人也常用「三多」、「五福」，「三多」指「多福、多壽、多男子」、「五福」為「壽、富、康寧、攸好德、考終命。」所謂「考終命」即善終也，不亡於橫禍也：現在「考」已少用於「打擊」，卻多用於考試。古之「鄉試」、「會試」、「廷試（殿試）」三年一次，現在莘莘學子非常辛苦，幾乎每週考，每天考，每堂課又來個隨堂測驗，期中考、期末考，升學考更不在話下，尤其七月炎炎夏日的大專聯考，更是「考上加烤」，同學們，辛苦啦！

有人星夜趕考場，有人辭官歸故里，古人考功名，今則拼高考，人的一生，各式各樣的「考試」、「考驗」太多了！

行楷

甲骨文

金文

小篆

行書

甲骨文：像一個人左邊的那一隻耳朵，繪其形象以為文字，故為象形字。

金文：方向變了，像一個人右邊的一隻耳朵。

小篆：由象形變為文字化了，已不像隻耳朵。

楷書：由小篆字形演變而來，兼具甲骨文的象形味，知其演變者，仍可窺出耳形。

耳之簡化字與繁體字相同。

◆古義

《說文》：「耳，主聽也很。」是人體的聽覺器官，分外耳、中耳，內耳三部分。用耳朵聽，即「聞」也，「聞者，智識也。「論語‧為政」：子曰：「六十而耳順。」」到了六十歲，聽到的事都能明辨是非真假。後人稱六十為「耳順之年」。「耳食」是指識淺學俗，人云亦云，自己不能知味，全依別人所言而論味美。「詩經‧大雅‧抑」：「匪面命之，言提其耳。」「匪」通「非」，我非但要當面訓示你，還要提起你的耳朵叮嚀你。此乃「耳提面命」成語之由來也！「耳耳」是壯盛貌！「詩經‧魯頌‧閟宮」：「龍旂承祀，六轡耳耳。」打著交龍旗承續祖先祭祀，駕御駟馬的御者手握六根韁繩，何其壯盛。「耳」亦用於語末助詞，「論語‧陽貨」：子曰：「偃之言是也，前言「戲之耳。」」「偃」指子游，意為「子游說得對，我剛才說的是玩笑話啦！」

◆今意

小時候，考試成績不好，父親審視發回的考卷，總會嚴肅的對我說：「老師在課堂上說的話，你都當作耳邊風！」耳邊的風一吹即過留不住，也不再回頭，更不可能裝進腦袋瓜裡。馬奔跑的速度極快，耳旁的東風更難入耳，故形容沒聽進的話或互不相干的事稱「馬耳東風」，唐‧李白詩：「世人聞此皆掉頭，有如東風附馬耳，」「耳語」是悄悄話，學生對老師說的話記不住，對同學的悄悄話可傳得快得很啦！

行楷

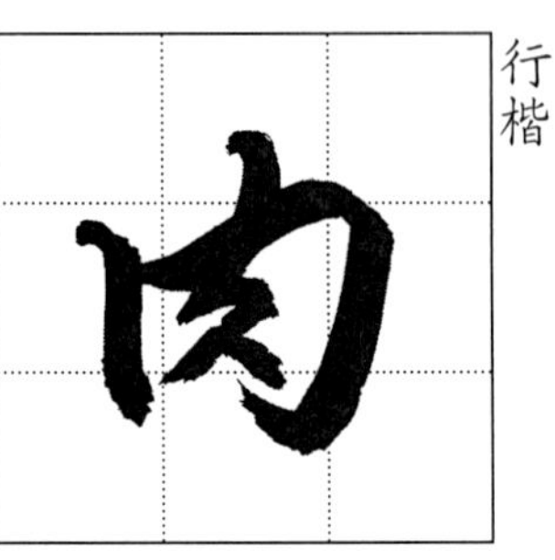

甲骨文

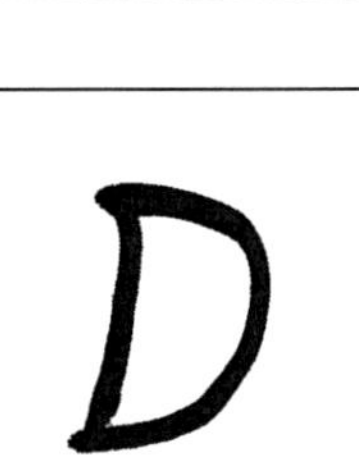
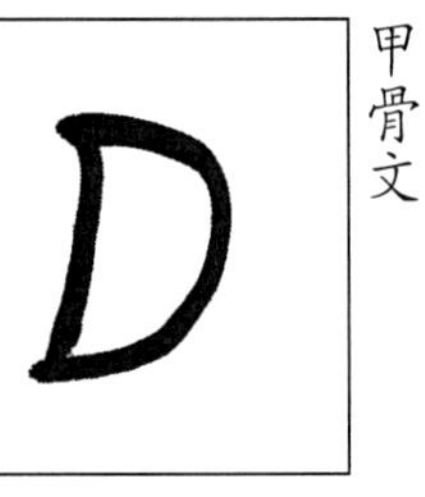

金文

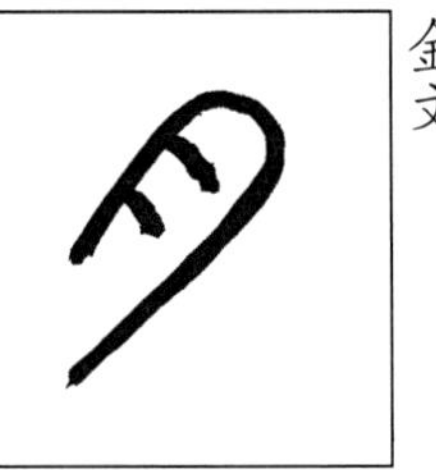

小篆

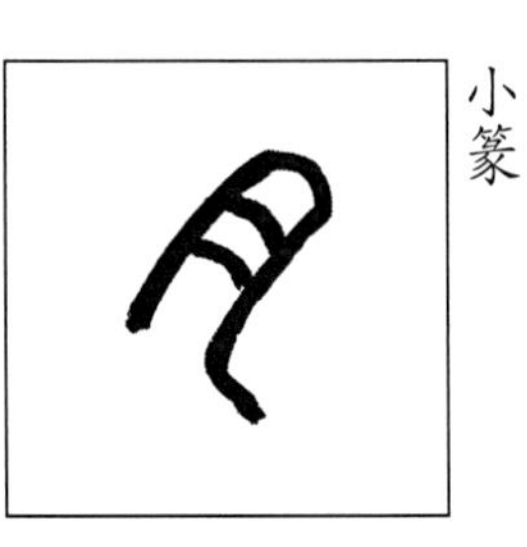

行書

甲骨文：像刀切下來的一塊肉，橫放在砧板上的樣子，是個象形字。

金文：由甲骨文演變而來，中間的兩條斜線條是五花肉（三層肉）去除助骨後的形狀。字形有點像「月」字了。

小篆：由金文演變而來，更像「月」字，而不像「肉」形的象形字了。

楷書：「肉」的外框變成方形，「肉」內的兩條紋路變成了兩個「人」形。

肉之簡化字與繁體字相同。

◆古義

《說文》：「肉，胾肉，象形。」「胾（音字）」者，大臠也，切成大塊的肉也，「詩經・魯頌・閟宮」：「毛炰胾羹、籩豆大房。」連毛一起煮的豬羊和大塊的肉湯，裝在籩、豆等盛物及有四足的禮器中。故凡附於動物骨骼周圍的柔軟肌膚稱「肉」，亦即動物的「肌肉」部分。將肉刴爛，做成丸子稱「肉糜」，晉惠帝性愚騃，時天下荒亂，路有餓莩，帝曰；「何不食肉糜？」不食人間煙火，荒謬至極也！「肉食」是指享有厚祿之宮吏。引申為凡蔬菜、水果去除皮、核後，其可食的部分稱「肉」，如「果肉」、「筍肉」、「葫蘆肉等。古對罪犯有切斷其肢體或器官之刑，稱「肉刑」。

◆今意

古時的「肉」是指「禽獸」的肉，「禽鳥」則稱「飛肉」。，漢代以後，人類的肉亦可稱之為「肌肉」，現在「肌肉」多用於形容人體帶筋部位的結實，古時人類的肉稱「肌」，動物的肉不能稱「肌」，只能稱「肉」，現在對動物結實的肉部亦可稱其「肌肉」結實。古時「酒池肉林」、「肉山脯林」是形容有權勢者荒淫腐化，奢侈靡爛的生活，現在這些形容詞已不切實際了！「肉袒面縛」是裸露上身，反綁雙手表示順從之意，此舉現已絕跡矣！

現代人講究養生，「肉」吃太多會有三高問題，怕胖的也不敢多吃，那是生活優渥所致。想起兒時物資匱乏，生活清苦，一個月能吃上一塊肉就覺得很幸福了！

行楷

甲骨文

金文

小篆

行書

甲骨文：是一個裝物的器皿，中間有一個小圓點，表示用牲畜祭祀所流出的鮮血，是個象形字。

金文：裝牲畜的器皿與甲骨文不同，其義相同。

小篆：由金文演變而來，上面小橫點仍表血滴。

楷書：由小篆演變而來，「皿」上加撇代表血滴。

血之簡化字與繁體字相同。

◆古義

《說文》：「血，祭所薦牲血也。」「薦」者，祭祀的禮節也，用牲畜的血祭祀叫「血祭」。「血」乃動物體內血管所含紅色的液體，故知血之本義為「血液」。「尚書•武成」：「會于牧野，罔有敵于我師，前徒倒戈，攻于后以北，血流漂杵。」兩軍交戰，血流成河，連搗衣的木棒都漂浮起來。「禮記•中庸」：「凡有血氣者，莫不尊親。」血氣者，血液和氣息也。「論語•季氏」：「及其壯也，血氣方剛，戒之在鬥。」壯年時期，血氣正值剛強，應當戒律爭鬥。「左傳•昭公十年」：「凡有血氣，皆有爭心。」凡是有血有精氣的人，都有爭鬥之心。有血統關係的親屬稱「血親」，「父子」關係稱「直系血親」，「兄弟姊妹」為「旁系血親」，養父母、養子女等非血親稱「擬制血親」。

◆今意

「血」之本義至今不變，千古以來，人類流著相同的血，血脈亙古相連，因血緣而構成家族形態是社會結構的重要一環，繁衍綿延至今！古時戰爭動軏「血肉橫飛」、「血流成河」，今之戰爭已無「血流漂杵」之慘境，倒是四川成都地方打麻將流行一種打法，「血戰到底」、「血流成河」，一家和牌，另外三家繼續廝殺，非至最後絕不罷休！心臟不夠強，血管不夠壯的人，肯定會弄出「血壓高」來！

現在的食品越做越精緻，越做越好吃，患高血壓、高血脂、高血糖等三高的年齡層也逐漸下降，戕害身體至極，所以這些垃圾食物及飲料要盡量少吃喔！

行楷

甲骨文

金文

小篆

行書

甲骨文：最上端是衣服的領子，領下開口兩邊為衣袖，袖之下端為衣擺，是個象形字。

金文：形體與甲骨文相同。

小篆：變得更像一件衣服了。

楷書：由小篆字形演變而來，已不像衣服的樣子。

衣之簡化字與繁體字相同。

古義

《說文》：「上曰衣，下曰裳。」「釋名」：「衣，依也，人所以依以庇寒暑也。」「詩經・邶風・綠衣」；「綠兮衣兮，綠衣黃裳。」綠色的上衣啊，綠色的上衣，黃色的裙子。「禮記・玉藻」：「衣正色，裳間色。」先秦時期，定「紅、黃、青、白、黑」五色為正色，兩色混合而成的橙色、灰色、赭色等為間色。亦引申喻其他萬物。「詩經・曹鳳・蜉蝣」：「蜉蝣之羽，衣裳楚楚。」蜉蝣的羽翅，像是它鮮明美麗的衣裳。衣與食乃人之基本需求，「無衣無食」則喻生活貧若也。「唐・元稹・同州刺史謝上表」：「臣八歲喪父，家貧無業，衣不布體，食無充腸。」舊唐書・神秀傳」：「有僧達摩者，本天竺王，云自釋迦相傳，有衣鉢為記，世相付授。」「衣」指僧尼所穿袈裟，「鉢」為「食器」，「衣鉢相傳」也！

今意

「衣」乃蔽體禦寒之物，千古未變，但今者之「衣」更追求美麗、時髦，再冷的天也只穿得少少的，「寧要風度，不要溫度。」學生時代，當讀到「晉書・殷仲堪傳」：「父病積年，仲堪衣不解帶，躬學醫術，究其精妙，執藥揮淚，遂眇一目。」時，內心澎湃，感動不已！誓言日後必效之以事雙親。今者，母已年邁，雖偶有住院亦未曾「衣不解帶」侍奉湯藥，眼睛早患「近視」，卻非淚母病，比之古孝，傀甚！

人要「衣」裝，佛要金裝，衣服是重要的儀表之一，穿著整齊也是對別人的尊重，人與人之間的互動在當下的社會裡，是必需自我要求的！

行楷

甲骨文

金文

小篆

行書

甲骨文：上半部是一個裝食物的器皿，皿下有像兩足的底座，整個外觀看起來就像個祭祀用的器皿，是個會意字。

金文：由甲骨文演變而來，頂上加了一橫，表示器皿的蓋子。

小篆：較金文少了中間一短橫，表示已蓋上「蓋子」，看不見裏面的食品。

楷書：由小篆字形演變而來。

豆之簡化字與繁體字相同。

◆古義

《說文》：「豆，古食肉器也。」裝肉的器皿也。「國語•吳語」：「觴酒豆肉簞食。」「觴」是盛酒之器，「簞」是盛飯的圓形竹器，即一觴酒，一豆肉，一簞飯也。「詩經•大雅•生民」：卬盛于豆，于豆于登。」「卬（音昂）」即「我」也，古與「昂」通，亦「仰」之古字。「登」是瓦製的食器，我把祭品盛裝在木豆裏，盛裝在瓦登裏。「爾雅•釋器」：「木豆謂之豆，竹豆謂之籩，瓦豆謂之登。」以木製成的食器稱「豆」，以竹製者稱「籩（音邊）」，以瓦製者稱「登」。「豆」亦為古之「量」名。「左傳•昭公三年」：「齊舊四量：豆、區、釜、鍾。四升為豆。」亦古「衡」名，十六黍為一豆，六豆為一銖。「菽」是豆類的總稱，漢代以後，「豆」字代替了「菽」字，「菽」漸少用。

◆今意

看到「豆」字，不是第一個想起早餐的「豆漿」，中餐的「豆沙包」，宵夜的「豆花加綠豆糕」，而是魏文蒂曹丕令其弟曹植在七步之內成詩一首，否則處以極刑，曹植在大殿堂上應聲而咏曰：「煮豆燃豆萁，漉菽以為汁，萁在釜下燃，豆在釜中泣，本是同根生，相煎何太急。」此乃兄欲殘弟，弟勇喻諷兄之千古名句，曹植字子建，詞藻富麗，文思敏捷，南宋詩人謝靈運嘗言：「天下才共一石，子建獨得八斗。」

「豆」是穀類植物，含有碳、氫、氧、氮、硫等豐富的蛋白質，對人體的健康極為重要，宜多攝取！

行楷

甲骨文

金文

小篆

行書

甲骨文：是一個大蚌殼的形狀，將大蚌殼磨成能鋤草的形狀，中有手執之形，是古時耕作的農具之一，是個象字。

金文：由甲骨文演變而來。

小篆：由象形變成字形化。

辰之簡化字與繁體字相同。

◆古義

《說文》：「辰，震也，三月陽氣動，雷電振，民農時也。」「震」者，動而威也。「釋名」：「辰，伸也，物皆伸舒而出也。」萬物開始生長，此農耕之時也！「淮南子」：「古者剡耜而耕，摩蜃而耨。」「剡（音眼）」者，斬也、削也，「耜（音寺）」者，挖土之具也，「摩」即「磨」，「蜃（音甚）是大蛤蜊，「耨（音近漏）」是除草之具，故知「辰」之本義為「磨蛤除草」。「辰」被借用為地支第五位後，遂「辰」下加「虫」為「蜃」以代之，之後「辰」即多用於時辰，亦指上午七至九時，因十二地支代表一日，一日中有日月交會，故交會之時亦曰「辰」，月出星隨，故曰「星辰」，如「荀子・禮論」：「星辰以行，江河以流。」「論語・為政」：「為政以德，譬如北辰。」「北辰」指北極星也！「辰」亦通「晨」，「詩經・齊風・東方未明」：「不能辰夜，不夙則莫。」「莫」是古「暮」字，司夜之官不能分辨早晨和夜晚，報時的不是報早就是報晚，暗喻號令無節，失職也！

◆今意

「辰」磨蛤除草之本義早失矣！至今仍多用於「時辰」，「吉時良辰」為挑曰子辦喜事的最愛。「詩經・大雅・桑柔」：「我生不辰，逢天僤怒。」是生不逢時的無奈！「宋・柳永・雨霖鈴」；「應是良辰美景虛設」是種淒寥。「宋謝靈運」：「天下良辰、美景、賞心、樂事，四者難並。」今日咀嚼其言，以為然也！然四者能並其一、二，足矣！蓋「知足」即「樂事」也，「快樂」是心境上的晴天，只要心情愉快，時時都是好「時辰」。

「良辰」古是眾星的總稱，今則多指美好的時辰，「良辰美景」就是美好的時辰，優美的風景。得之愉悅也！

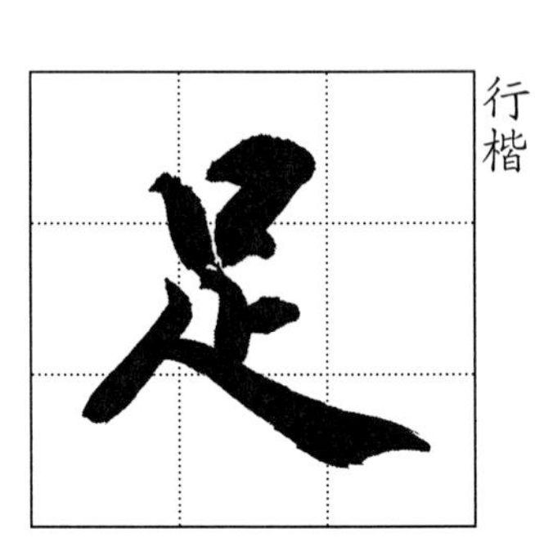

行楷

甲骨文

金文

小篆

行書

甲骨文：上半部像一條腿形，下方是腳趾，主要是指腿膝蓋以下的部分，是個象形字。

金文：上半部由腿形變成一個圓形，像膝蓋頭，下面的腳趾變成「止」字。

小篆：與金文相似。

楷書：由小篆演變而來，上部變成了「口」字。

足之簡化字與繁體字相同。

◆古義

《說文》：「足，人之足也，在下，從止口。」指腿之下半部，「徐錯」曰：「口象股脛之形。」「股」指腿，「脛」是從腳跟到膝蓋間的小腿。即「足」上的「口」是指小腿的形狀，「足」亦是人體下肢的總稱，俗稱「腳」「易經・繫辭下」：「鼎折足，覆公餗，其形渥。」「餗（。音速）」是放在鼎內的食物，鼎器不堪負荷折斷了鼎腳，打翻了王公的美食，並將鼎身外形弄髒了。故知「足」之本義為「腳」，舉凡動物、植物、物品之足均可稱之。將物撐起之「足」夠了就好，不需要太多，故引申為「足夠」、「滿足」。「詩經・小雅・天保」：「降爾遐福，維日不足。」上天賜您長久的幸福，每天都惟恐不足。由「足夠」引申為「過分」，「論語・公冶長」：「巧言令色、足恭，左丘明恥之。」花言巧語、阿諛諂媚，這種過分卑恭之人，左白明（左傳作者）以為可恥也！「足恭」應唸「足（音巨）恭」。

◆今意

「足」為「腳」之本義至今來變，但「足下」並非僅指「腳下」，而是有一感人故事。晉文公在流亡時期，曾饑寒交迫，隨從介之推割股肉為湯獻之，以解其飢，公文回國即位後，推不言祿，攜母隱於棉山、文公燒山以求其出，推背負老母抱樹被焚，文公撫木哀之，遂令伐木為屐以記之，常曰：「悲乎足下！」故「足下」乃表敬意也！後人常在言辭或書信中稱別人「足下」，是尊稱，非貶意也！惟現在年輕人已少用之或恐未知其義也！

敬稱他人的學生稱「高足」，「古詩十九首」：「何不策高足，先據要路津」中的「高足」是指快馬。現今多已不用。

行楷

甲骨文

金文

小篆

行書

甲骨文：上半部是顆樹苗，下半部是個「田」字，像土地的疆域，在自己的土地上栽種樹苗，表示「居此」、「邦此」、「立國於此」，「邦」與「圃」之甲骨文寫法相同，是個會意字。

金文：左邊像是樹苗種在土地上，右邊把「田」換成「邑」，「邑」指人之聚居處也。

小篆：由金文演變而來，樹苗的形象筆法化了。

楷書：由小篆筆法演變而來。已不見種苗於田之本義。

邦之簡化字與繁體字相同。

◆古義

《說文》：「邦，國也。」國家是由人民組成，「尚書•五子之歌」；「民惟邦本，本固邦寧。」「惟」者，為也、是也！「詩經•大雅•皇矣」：「王此大邦，克順克比。」「王」是動詞，指統治，「大邦」是指周國，「比」是依附，統治這個大國，要使人民順從、依附。故知「邦」之本義為「國」，國有大小，故「大曰邦、小曰國」。天子統治之地為「邦」，周雖舊邦，其命維新。」諸侯所封稱「國」，「詩經•商頌•玄鳥」：「邦畿千里，維民所止。」「止」。是居住，國境方圓有千里，都住著殷商的百姓。「詩經•小雅•南山有臺」：「樂只君子，邦家之光。」「只」是語助詞，「君子」是指周天子及諸侯，快樂啊君王，您是國家的榮光，此處之「邦」是泛指「國家」。

◆今意

現在主權獨立的都稱「國家」，而結合多數國家組成「國家聯合」其各自對內仍有主權，對外則保有大部份主權者，稱「邦聯」，邦聯各國在國際法上具獨立人格，而「聯邦」各國則不具國際人格。「烏托邦」是英國作家摩爾用拉丁文所寫的小說，夢想著在一個叫「烏托邦」的島國裡，實行社會主義，政治、經濟、教育等均盡善盡美，令人則謂空想，並以不可能實現之理想稱「烏托邦」，此「邦」是空想而來者也！

國與國之間的交往稱「邦交」，邦交國越多，經濟成長及發展就更迅速。「邦彥」是指國內品德學問優秀的人，現在都說成「才俊」！

行楷

甲骨文

金文

小篆

行書

甲骨文：上部的方形是代表城鎮，下部是一個面朝左跪坐的的，表示人在城鎮裡聚集、居住，是個會意字。

金文：。與甲骨文形體相似。

小篆：下部的人形變成了「巴」字。

楷書：由小篆字形直接轉換而來。

邑之簡化字與繁體字相同。

◆古義

「說文。：「邑，國也。」」人聚居之地也。「史記·五常紀」：「舜一年而所居成聚，二年成邑，舜勤政愛民，故百姓爭相擁聚。「詩經·商頌·殷武」：「商邑翼翼，四方之極。」「翼翼」是整齊壯觀，「極」是中心、標竿。商國的都城整齊而又壯觀，是四方諸侯的標竿。故知「邑」之本義為「聚居之地」也！諸侯所封之地亦稱「邑」。「詩經·大雅·文王有聲。」：「既伐于崇，作邑于豐。」「于（古邘字）、崇」皆諸侯國名，「豐」是地名，在今陝西西安豐水之西。既討伐邘、崇兩國，又在豐地建了都城。因聚居之地有大小，故大曰「都」，小曰「邑」，「呂氏春秋·貴因」：「舜一徙成邑，再徙成都，三徙成國。」「邑」即為聚居之地，如不能抵禦外侮，必定憂鬱不安，故「邑邑」有心不安、不樂之義，後人又加「豎心」旁為「悒悒」，其與「邑邑」同義也！「史記·商君列傳」：「安能邑邑待數十百年以成帝王乎？」」憂悶不樂的等待。

◆今意

古之「邑」即今之「縣」，「邑侯」、「邑宰」是縣令，今稱「縣長」。古科舉時代「邑」，縣裡的學校稱「邑庠」，現在都叫學校。古之「邑落」現稱「村落」。古之「邑邑」，現均作「悒悒」。故「邑」至今日已甚少用，而形容心裡不安，心中不樂，心有憂悶，則用「憂悒」表之，心有怒火，卻憋住不發謂之「悒憤」，這種怒火中燒之憤憋而不發，是最傷身體的，亦最容易悶出病來，所以心裡有事，趕緊找人說說，千萬別悶在心裡！

「邑君」是古時候對女子的封號，現已不用。

行楷

甲骨文

金文

小篆

行書

甲骨文：字形像一座祭祀祖先的宗廟，上為斜面的屋頂，中間是高大的喬木支撐，下面的方形是基座，是個象形字。

金文：由甲骨文演變而來，兩者極為相似。

小篆：是《說文》「亯（音亨）（古文亨字）部」小篆的形體，底部基座變成一隻手形。

楷書：由小篆字形演變而來，已無宗廟建築之形。

亨之簡化字與繁體字相同。

◆古義

古時「亨」與「享」為同一字，故在說文中僅收到「享」字，「亨」之本義為「宗廟」，後被借用為「亨通」之義。「易經．坤卦」：「含弘光大，品物咸亨。「弘者，大也，其意為：含有弘大而光明的品德，使萬物亨通生長。「易經．乾卦文言：「亨者，嘉之會也。」「嘉」是「完美」，「會」是滙聚」，其意謂：亨通是完美的滙聚。「亨」在當「宴饗」時，其音為「享」，與「享」義同。「易經．大有」：「公用亨于天子。」「公」指王公，「用」是「憑以」，在大有所獲時，王公諸侯憑貢献財物以享受天子的宴饗。由宗廟祭祀引申為「烹」，「亨」為「烹」之本字，「亨」被借用為「亨通」之後，後人在「亨」下加四個小點為「烹」字，專用於「烹飪」、「烹調」，「詩經．豳風．七月」：「七月亨葵及菽」。七月烹煮葵菜和豆苗之義。

◆今意

「亨」之本義為「宗廟」，自被借用為「亨通」之後，其本義已失，今人常用以形容命運通達，萬物順天時行而無違也！元、亨、利、貞是易經．乾卦的四德，「元」為萬本之始，「亨」為萬物之長，「利」為萬物之遂，「貞」為萬物之成，亦表示萬物之「始、通、和、正。」亦表「春、夏、秋、冬」四季，今人常用「貞下啓元」表示「冬去春來」，送走嚴冬，迎接暖春，或萬物之生生不息又開啓新的一年，新的一年中，萬事亨通也！

春節給親友拜年，常以「財運亨通」為賀詞，亦用於商業經營的開張大吉。亨不亨通不知道，但吉祥話是人人愛聽的。

行楷

甲骨文

金文

小篆

行書

甲骨文：左邊是一個盛滿食物的器皿，右邊是一個面朝食物跪坐著的人，準備食用皿中之物，「就食」也，是個會意字。

金文：由甲骨文演變而來，左邊仍是盛食之皿，右邊的人形不是跪坐，而是半立。

小篆：「皿」形與「人」形都已改變，已看不出就食之形。

楷書：依小篆字形演變而來，古時寫成「卽」字，今通寫為「即」。

即之簡化字與繁體字相同。

◆古義

《說文》：「即，食也，一曰就也。」「就」者，接近也，接近食物以食之也。「詩經・衛風・氓」：「匪來貿絲，來即我謀。」「謀」指商量婚事。不是來做絲的貿易的，是就近跟我談婚事。故知「即」之本義為「就食」。由「就近」引申為「當下」、「當日」、「現今」，「漢書・文帝紀」：「皇帝即日夕入未央宮。」「即日」指「當日」也，由「當日」引申為「近日」，「宋・陸游詩：「知汝即日歸，明當遣舟迎。」亦有「倘若」之義，「史記・高祖本紀」：「蕭相國即死，令誰代之？「即死」指倘若死掉了」，亦有「則是」、「便是」等義。「心經」：色即是空，空即是色。」古之皇帝登極就位稱「即位」，「即世」指去世，「即刻」是「立刻」，「即即」是充實，亦是鳳凰的鳴叫聲，「若即若離」是好像很接近，又好像有點疏遠，不太接近的樣子。

◆今意

「即」之本義為「就食」，古人早就告訴我們吃飯要「以碗就口」，碗要靠近嘴邊，而非「以口就碗」，這是「食」的禮節，亦符「即」之本義，宋代理學大家朱熹主張「即物窮理」，就一切事物探求其真理，這話最適合用在做學問上，很多人「一知半解」或「不求甚解」，則學問難有所成！現在有很多娛樂節目流行「即興」表演，不論說、學、逗、唱、寫文章，都要有相當的程度才能為之，否則必定荒腔走板，令人不忍卒睹！

「唐・張敬忠・邊詞」！「即今河畔冰開日，正是長安花落時。」北方邊塞的春天來得較遲，當河冰解凍之日，正是長安城裡的春花凋落之時。

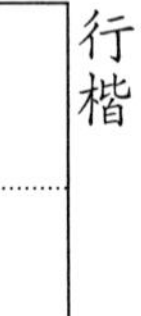

行楷

甲骨文

金文

小篆

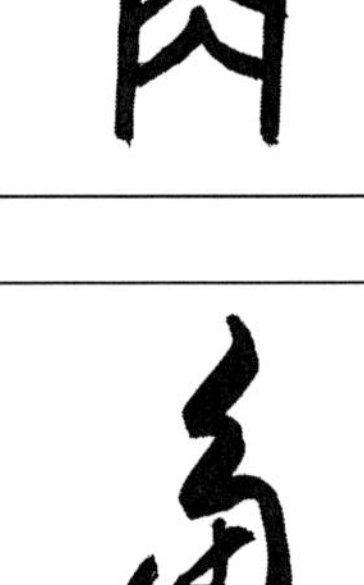

行書

甲骨文：像一隻割下來的牛、羊等的獸角，中間有橫斜的紋理，是個象形字。

金文：由甲骨文演變而來，其形極為相似。

小篆：頂上的角變得彎曲而又分枝，像鹿的角，下面是個「肉」字，表示角是從肉裡長出來的。
下半部已不是「肉」字了！

楷書：由小篆字形演變而來。下半部已不是「肉」字了。

角之簡化字與繁體字相同。

◆古義

《說文》：「角，獸角也。」獸類頭上所生之尖硬物也，初指牛、羊，後及於鹿等有角之獸。「易經・大壯」：「羝羊觸藩，羸共角。」「羸（音雷）」者，弱也，拘纍纏繞也，公羊用角去撞籬笆，會損弱其角力並反被籬笆纏繞困住，故知「角」之本義為「獸角」。獸類以角為攻防，比「角」力之大小強弱，故引申為兩者一較高下為「角力」如「三國志・吳志・華覈傳」：「今當角力中原，以定強弱。」未成年的男女將頭髮左右束綁豎起如兩角稱「總角」。「詩經・衛風・氓」：「總角之宴，言笑晏晏。」「宴」是歡樂，「晏晏」是和悅。「弓」之兩端以牛角作裝飾的稱「角弓」，用牛、羊角作為裝飾的枕頭稱「角枕」，兩者相互較力之戲稱「角抵」或「角觝」，「角」亦為古之「酒器」、「量器」，軍中用的「畫角」、「號角」。「角」亦五音之一，亦引申為「地」或「屋」之一隅，如「海隅」、「屋角」、「角樓」等。

◆今意

看到「角」字，大家都會知道那是元、角、分的貨幣單位，隨著經濟不斷發展，交易量與日提增，貨幣最低以「元」為單位，「角」與「分」已逐式微不用了。我每當看到「角」字，就會想起「宋・陸游・沈園」：「城上斜陽畫角哀，沈園非復舊池臺。」陸放翁與前妻唐琬偶遇於沈園的傷感詩句！悲歡離合，世事難料也！現在常把比賽、競爭等稱「角逐」，其引申於一對一的「角力」賽，人數可在二人以上，逐者，競逐也！

「角色」是指在戲劇中演員所扮演的「角色」，戲份最重的稱「主角」。

人的一生也都扮演著不同的「角色」，也都要恪盡職責，把這「角色」演好！

行楷

甲骨文

金文

小篆

行書

甲骨文：像個面朝左跪著的婦人，胸前兩個圓圈代表乳房，頭上是裝飾品，是「母」的異體字，是個象形字。

金文：由甲骨文演變而來，形體變成較正面。

小篆：與金文形體相似，是小篆筆法。

楷書：上面的飾物與中間身軀稍有變化，但依稀可見，下面的腿形卻看不見了。

每之簡化字與繁體字相同。

◆古義

「每」最初是「母」的異體字，其本義即「母」也，當「母」專用於父母、雄雌之後，後人遂將「每」用於「逐」指事、物之詞」，表示「逐個」之義。「論語・八佾」：「子入大廟，每事問。」孔子進入魯周公之太廟，每件事物都詳細詢問。「每」亦用於「雖」也、「常」也，「詩經・小雅・皇皇者華」：「駪（音欣）駪征夫，每懷靡及。」駪駪亦「莘莘」也，眾多的使者，諸事雖都經考慮，亦有不周全之處也。「詩經・小雅・常棣」：「每有良朋，烝也無戎。」「烝」者眾也，「戎」者助也，雖然有好朋友，但再多也不能相助。「每下愈況」今人常作「每況愈下」，非也。「況」是指經比較而更明顯，其原意乃「道」無所不在，即使以下賤的動物比之，亦能見「道」，譬如踏著豬的腳脛即知豬肥也，今人以「每況愈下」比喻事情愈來愈壞，背其本義千里矣！

◆今意

「每」字至今用法極廣，舉凡逐人、逐事、逐物均有用之，當聽到人們引用「唐・王維」：獨在異鄉為異客，每逢佳節倍思親。」的詩時，感觸頗深，尤其是離鄉在外的遊子，為了工作，為了理想，長年漂泊，逢年過節都不能返鄉與家人團聚，孤獨落之情，若非身歷其境，甚難體會也！

「每飯不忘」是指每次吃飯就會想起的事，不會忘記。「漢書・馮唐傳」：「漢文帝謂馮唐曰：「令吾每飯不忘，意未嘗不在鉅鹿也。」未完成的志業，永銘於心。做學問亦應有此精神「每飯不忘書未成」。

行楷

金文

小篆

行書

金文：上面是個「且」字，下方為手形，以手相助之義，「且（音居）」是文言文語尾的餘聲，
此處表聲，「又」表手形，是個形聲字。

小篆：下方的手形移到了右邊，原本的「又」變成了「力」字，以「力」相助，其義更廣也。

楷書：由小篆字形轉換而來，仍有古義也。

助之簡化字與繁體字相同。

◆古義

《說文》：「助，左也，從力，且聲。」左者，佐也，幫助也。「孟子・公孫丑下」：「得道多助，失道寡助。」得民心者必能獲得許多幫助，反之則少。故知「助」的本義為「幫助」。引申為「增益」。「論語・先進」：「回也，非助我者也；於吾言，無所不說。」顏回不太發問增益只默識於心，對我說的話沒有不喜悅樂聞的。亦引申為「助長」，助其成長也。「孟子・公孫丑」：「宋人有閔其苗之不長而揠之者。」欲速則不達，適得其反也。此亦隱喻人應多行仁義，「福」自在其中，若只汲汲於福而無仁義道德，則禍近福遠矣！「助」亦殷商時期賦稅法之名稱。亦即井田之法，公田由八個私田助耕種也。「助」亦通「鉏」，即「鋤」也，除去之義，除去雜草助苗生長也。

◆今意

「助」之本義至今未變，今人常說「助人為快樂之本」，施比受更感幸福和愉悅！「無助」是「失望」、「落寞」、和「悲涼」的總結，這世上「錦上添花」者多有，而「雪中送炭」者少見，讀了這「助」字後，每個人的心態和觀念一定要有些改變，「助人一臂之力」也許在輕而一舉中改變了別人的一生，何樂不為？當然我們不為負面之助，如「助桀為虐」、或「助惡欺善」，此乃正常人所不為也！

「助教」是大學教授的助手，幫助教授指導學生課業。

「助產士」是幫助孕婦生產的人，俗稱「接生婆」隨著醫學進步，此行業已逐漸式微！

行楷

甲骨文

小篆

行書

甲骨文：上面像一份竹簡，是用竹片寫字後以繩穿成一冊，下面的口形是裝簡冊的籃子，把無用或不好的除去，可用的放在專門放簡冊的籃裡，是個會意字。

小篆：簡冊下的籃子不見了，右邊增加了一把刀，表示用刀去除掉一些不好的。

楷書：依小篆形體演變而來，冊中的穿繩變成一條以簡化之。

刪之簡化字與繁體字相同。

◆古義

《說文》：「刪，剟也。」「剟（音奪）者，用刀刺或割，亦「刊」義，即「去掉」、「刪除」之也。「漢書‧律曆志上」：「刪其偽辭，取正義，著於篇。」去除掉不正確的辭句，把正確的留著寫於書中，。故知「刪」之本義為「去掉」、「捨除」。既有「捨」則必有「取」。「漢書‧藝文志」：今刪其要，以備篇籍。」此處之「刪」即為「節取」之義，其義為：現在節取其重要的部分以成書也。「史記‧索隱引書緯云」：「孔子求得黃帝元孫帝魁之書，至秦穆公凡三千三百三十篇，乃刪以百篇為尚書。」史記‧孔子世家」：「古者詩三千餘篇，孔子去其重，取可施於禮義者三百五篇，故知「尚書」及「詩經」原都三千餘篇，經孔子刪滅後傳世至今！

◆今意

古之竹簡容易「刪」，但不容易改，要用「刊」的方式將竹簡削去一層，再重寫。今之筆紙只要大筆一揮，不需用刀，便可畫掉不需要的，或增加需要的字句，取捨均能同紙為之！故今常用「刪改」、「刪拾」、「刪削」等表達「修改」，並非只重「刪除」、「刪節」。把繁瑣的文字修改為精簡扼要的章句稱「刪繁就簡」。報社的總編輯對記者冗長的報導，可能大刀濶斧的「刪」得所剩無幾，今「刪」用筆不用刀！

「刪節號」是現今標點符號之一，多用於刪節詞句及語意尚未完全表達出來之意！

行楷

甲骨文

金文

小篆

行書

甲骨文：下面是個「田」字，從田裡長出一顆幼苗，外加一個方塊框就是「圃」字，故「甫」為「圃」的本字，是個象形字。

金文：下面的「田」埂縱橫交錯，變成「用」字，上面仍是一顆新發的苗。

小篆：與金文相似。

楷書：由小篆筆法演變而來，已不見新苗之形。

甫之簡化字與繁體字相同。

◆古義

「甫」乃田裡長出新苗，為「圃」之本字，故知其本義為「圃」，「圃」者，畦也，種植之地也。因男子下田幹活，使莊稼長出幼苗，讚美之而引申為「美男子」。《說文》：「甫，男子美稱也。」亦為丈夫之美稱，孔子為「尼甫」，周大夫有「嘉甫」，宋大夫有「孔甫」。「詩經•大雅•烝民」：「保茲天子，生仲山甫。」「仲山甫」乃樊國國君，周宣王之卿士也，其義為：為了保佑天子，便降生了仲山甫。「甫」亦引申為大，「詩經•小雅•甫田」：「倬彼甫田，歲取十千。」那廣濶的大田，每年收穫萬千。亦引申為對別人名字的敬稱，如請問「台甫」。因「甫」為剛發新芽，故引申為「開始」、「方才」，如「演奏甫畢」。

◆今意

古時對男子之美稱或敬稱曰「甫」，今則稱「俊」，其義包含「才智」，如「俊傑」、「俊彥」、「俊男美女」等，一般口語化則稱「帥哥」，有「小帥哥」、「大帥哥」、「老帥哥」，七十歲以上帥不起來了，就恭敬稱呼一聲「大叔」吧！古時敬問別人之名字稱「甫」，如「請問台甫是？現在您要用這種問法，恐怕一大半的人「不知尊兄所云」？現在白話文很少用「甫」，寫書信或文章白話與文言併用則有之，如「甫抵家門，電話就來」等！

「甫諧琴瑟」是指剛結婚不久，新婚燕爾之期，現稱「蜜月期」！

行楷

金文

小篆

行書

金文：左邊是塊田，右邊是個人，人在田裡耕作之義，是個會意字。

小篆：人形變大了，把整塊田包了起來，義謂整塊田都是他的耕作範圍。

楷書：由小篆字形演變而來，仍有田中耕作之義。

甸之簡化字與繁體字相同。

◆古義

「甸」古與「佃」通，「玉篇」：「佃，作田也。」耕種田地之謂，故知「甸」之本義為「耕作」。因耕地而引申為天子之地，《說文》：「甸，天子五百里地。」自邦國以及四郊之內也。古時郭外曰郊，郊外曰甸。「張衡・西京賦」：「郊甸之內。」即指城郭及都城，「郭」乃城牆外再築的城牆。古之「甸」亦指六十四井之地，「井」者，井田之百積也，一井田約九百畝，「禮記・郊特牲註」：「十六井為丘，四丘六十四井曰甸。」因土地大引申為「治理」。「詩經・小雅・信南山」：「信彼南山，維禹甸之。」信者，綿延也，那綿延的終南山，是夏禹開墾治理的。「甸」在獵取禽獸時讀「田」音。「周禮・春官・肆師」：凡師甸用牲于社宗則為位。」「師」為出師征伐，「甸」為四時田獵。「甸」亦古之官名，如「甸祝」，田祝之官也。

◆今意

「甸」為「耕作」之本義至今幾已消失不用，亦不用於劃分田地或土地的單位，開墾或整治土地亦不用「甸」，現在亦無「甸官」之名，「甸」這個字隨著時代不斷演進，遂漸被新字或新詞替代，許多引申義意多已消失，偶見於地名，與我國雲南省接界的國家叫「緬甸」，除此之外，今之常用「甸」字則為形容分量很重的「沉甸甸」如「你的口袋看起來沉甸甸的，倒底裝了什麼寶貝？」

「甸人」是古時掌管藉田及提供野物的官，現已無此官名。

行楷

見

甲骨文

金文

小篆

行書

甲骨文：頂上為一隻睜大眼珠子的眼睛，眼下為一面朝左跪坐的人，舉頭睜眼往前注視著，是個象形字。

金文：頂上仍以大眼突顯，下方的人形變得半站立的樣子。

小篆：頂部的眼睛變成了「目」，目下的人形只剩兩條腿形，其義不變。

楷書：由小篆字形轉而來。

簡化字：以行書、草書之筆法簡化之。

◆古義

《說文》：「見，視也，從目從儿。」用眼睛看到之義，所謂「目睹眼見」也！「論語・憲問」：「見利思義，見危授命。」看到利益則想到義理，看到國家危急而願犧牲性命。「詩經・小雅・角弓」：雨雪瀌瀌，見晛曰消。」「瀌瀌（音標）」，雪盛也，「晛（音現）」，太陽光也，雪下得很大，一見到太陽光就融化了，故知「見」之本義為「看到」。以卑就尊之拜會稱「謁見」、「拜見」。以尊見卑謂「接見」。「史記・廉頗藺相如列傳」：「秦王坐章台，見相如。」「見（音現）」亦與「現」同。「史記・項羽本紀」：「軍無見糧。」即軍中已經沒有現成的糧食了。

◆今意

由古至今，「見」之意義變化不大，有不同者，即「見」與「現」已不通用。現在「見」常被用於尊敬和禮貌，如「寫得不好，讓您見笑了！」亦有「發現」的意思，如「撥雲見日」，「掘井見水」等，亦有逐漸顯現之義，如「病情日見好轉」，「生意日見興隆」等。現在雖然時代進步了！但「見賢思齊」者少，「見不得人好」的多！「見義勇為」的少，「見縫插針」的多，「見危授命」的少，「見利忘義」的多！該多加強學校教育和社會教育啦！

「但見」是只看到，「唐・李白・怨情」：「但見淚痕溼，不知心恨誰？」美人內心深處的幽怨躍然紙上。

行楷

甲骨文

金文

小篆

行書

甲骨文：外觀看起來像一座高高的樓臺，底部是建築的支撐，空白處像兩扇進出的門，中間是疊架上去的樓層，每層部有窗戶，最上是斜面屋頂，是個會意字。

金文：與甲骨文相同，僅中間少了一層樓。

小篆：底部支撐與斜頂均由象形變成文字筆法，中間的樓層變成「口」字。

楷書：由小篆筆法轉換而來。

京之簡化字與繁體字相同。

◆古義

「爾雅・釋丘」：「丘絕高曰京。」土之高者曰「丘」，丘之絕高者曰「京」，甲骨文是在絕高之地的山丘上蓋一個瞭望臺，以觀敵情、民情及防禦之用，故知「京」之本義為「高丘」，引申為「大」。「左傳・莊公二十二年」：「八世之後，莫之與京。」沒有比他更大之謂。「公羊傳・桓公九年」：「京師者何？京者大也，師者眾也，天子之居，必以眾大言之。」「京師」即天子所居之國都。「京輦」與「京師」同義，即指「京城」、「國都」。「後漢書・袁紹傳」：「子弟生長京輦。」生長於京城之義。「京京」是憂愁貌。「詩經・小雅・正月」：念我獨兮，憂心京京。」天下將亂，我孤獨無訴，憂心忡忡啊！「京」亦通「鯨」，「京」亦為數名，古時十億為兆，十兆為京。

◆今意

「京」現仍指首都或極重要的大城市，如「南京」、「北京」、日本的「東京」等，「京官」是指在京裡或中樞作官，「京兆尹」是首都的府尹，說人官做不久即下台稱「五日京兆」，語出「漢書・張敞傳」，至今仍常用之。古代戰爭，勝利者為炫耀戰功，將敵人尸首有高堆起來，封土成家，稱為「京觀」，今已不復見也！古之科舉制度分鄉試、會試、殿試及恩科等，鄉試三年一科，在省城舉辦，中者為舉人，次年在京城舉辦「會試」、稱「上京趕考」，與今之考試制度已大不相同也！

「京劇」是指京腔戲劇，今稱「平劇」「國劇」。

行楷

甲骨文

金文

小篆

行書

甲骨文：與「亨」字同，字形像一座祭祀祖先的宗廟，上為斜面屋頂，中為支撐的木頭，下之方形是基座，是個象形字。

金文：由甲骨文演變而來，形義相似。

小篆：由金文演變而來，中間少了柱撐。

楷書：由小篆演變而來，字型變化較大。

亨之簡化字與繁體字相同。

◆古義

《說文》：「享，献也，祭也，歆也。」「歆（音欣）」是指祭祀時神靈享受所献祭品的氣，「歆享」也，「享」是「供奉」、「供献」，祭祀及下奉物於上皆曰「享」，「禮記・曲禮」：「五官致貢曰享。」殷時天子之五官為司徒、司馬、司空、司士、司寇，典司五衆。「詩經・商頌・殷武」：「自彼氐羌，莫敢不來享。」「氐羌」是商周時聚居青海、甘肅、四川等地的族部。即便偏遠地區的氐羌族，都沒有敢不來奉献進貢的。「享」與「亨」古時為同一字，故知享之本義為祭祀宗廟的「奉献」。亦引申為「宴饗」，大規模的請客之謂，「享」與「饗」有別，祭神之供奉曰「享」，宴請賓客曰「饗」，故祭祀或供奉祖宗神佛之處曰「享堂」，「享」亦引申為「受」，「享受」，「受用」享受幸福安樂之謂也。「享國」是指君王在位的時間，「尚書・吳逸」：「肆中宗之享國七十有五年」，「肆」是「因此」也。

◆今意

「享」之本義為祭祀中的奉献，是付出，今則多用於收受的「享受」，「得到」。古時稱人在世間的壽延為「享年」，如「蔡邕、郭有道碑，」「稟命不融，享年四十有二。」，今人則常以在世年齡超過六十為「享年」，未滿六十則曰「得年」。「享」至今仍有假借為「饗」，如「尚饗」即在祭祀中祈請鬼神蒞臨享用食物之詞，今仍常見於祭文末尾之結語詞。人不能太「享福」，否則物極必反，此乃天理循環也！

現在退休以後，兒孫滿堂，是到了「享清福」的時候了，但往往還要為兒女帶看孫子，持續勞碌，這清福難「享」喔！

行楷

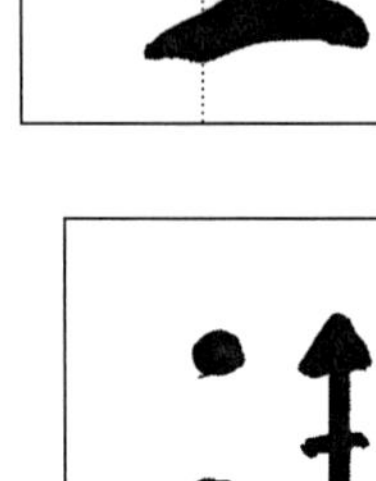

金文

小篆

行書

金文：右上方是個金屬做的箭頭，右下方是金屬做的斧頭，左邊的兩點是治煉的金屬原料，是個會意字。

小篆：上半部變成了「今」字，下半部是個「土」字，旁邊兩點是土中所含金屬，上部之「今」表聲，此時是個形聲字。

楷書：由小篆字形演變而來，已無治金之形。

金之簡化字與繁體字相同。

古義

初期的「金」非專指黃金，係泛指金屬之器，其後分金、銀、銅、鐵、錫為五金。「爾雅。釋器」：「黃金謂之璗，其美者謂之鏐。白金謂之銀，其美者謂之鐐，鉼金謂之鈑，錫謂之鈏。」黃金稱璗（音盪），質純而美者稱鏐，白金稱銀，質地而美者稱鐐，鉼（音餅），鉼狀的金屬稱鈑，錫稱鈏。亦為五行之一。「易繫辭註」：「天地之數，五五相配，以成金、木、水、火、土。」亦為「匏、土、革、木、石、金、絲、竹。」八者之一。文字鐫刻於鐘鼎器之上者稱「金文」或「鐘鼎文」。刻於石上者稱碑文。以金屬製成的兵器稱「金革」。「易經。繫辭傳」：「二人同心，其利斷金。」是指同心協力，無事不成。「金甌」是指國家安定強盛。

今意

「金」是古貨幣之一，與人民生活息息相關，直至今日，國家雖發行紙幣，但仍以黃金為本位，故金之一字使用範疇極廣，我們現在常用的語句有「真金不怕火煉」、「浪子回頭金不換」，友誼深厚的「金蘭之交」、「金石之交」、「金童玉女」、「金枝玉葉」等。最感嘆的是「秦觀。鵲橋仙」詩：「金風玉露一相逢，便勝卻人間無數。」最不可取的是「金於其外、敗絮其中。」我最喜歡古人常吟的「人生四樂：「久旱逢甘霖，他鄉遇故知，洞房花燭夜、金榜題名時。」跟金錢不沾一點邊的快樂，至樂也！

我們家鄉有一句諺語：「金窩銀窩，不如自己的狗窩。」「金」的價值觀因人、時、地而有所不同。

行楷

甲骨文

金文

小篆

行書

甲骨文：是一個面朝左跪著的一個女人，最上端不是人的頭形，而是一個「辛」字，代表刑刀，刑刀在頂，知其為奴，是個象形字。

金文：上端刑刀的形狀變成了文字的「辛」字，下半部仍是女人的形狀。

小篆：由金文演變而來，上端是「辛」字，下半部是由甲骨文演變而來的「女」字。

楷書：由小篆字形演變而來，仍有「辛」、「女」之義。

妾之簡化字與繁體字相同。

◆古義

《說文》：「妾，從䇂從女。」「䇂（音愆）」罪愆也，犯罪的女子被以刑刀黥面，判為奴隸之謂也，故知妾之本義為「女奴隸」。「尚書。費誓」：「臣妾逋逃。」「臣」是男奴隸，妾是女奴隸，逋（音晡）是逃亡，指男女奴隸都逃跑了！因女奴身分卑賤，沒有社會地位，故引申為人之側室或小妻，依照古時的禮儀，天子可娶九女、諸侯七、大夫一妻二妾、士一妻一妾、庶人匹夫匹婦、不得有妾。「穀梁傳。僖公九年」：「毋以妾為妻。」莫把側室視為正室之妻也。「妾」亦女子自稱的謙詞。「唐。杜甫。新婚別」：「妾身未分明，何以拜姑嫜。」姑嫜即公婆，古時婚禮繁複，除拜天地外，尚須三日後告廟上墳，才算完成，結婚才一天、丈夫即遠征，妻之名分尚未完全定下，怎麼去拜公婆啊！

◆今意

戒國是實施「一夫一妻」制的國家，所以已經沒有「妾」的「名詞」和「名分」，國外現仍有些落後國家允許「一夫多妻」，名分是「妻」，而非「妾」，所以「妾」至今已是個歷史名詞了！現在是男女平等的時代，女性或正室亦不需「自謙稱妾」了！每讀「李白。長干行」：「妾髮初覆額，折花門前劇。」不由得總會想起「青梅竹馬」的玩伴，鮮活的回憶，珍貴啊！

「宋‧歐陽修，漁家傲」：「妾有容華君不省，花無恩愛猶相並。」拿現代的話來說，就是癡情女遇到薄情郎了！

行楷

甲骨文

金文

小篆

行書

甲骨文：像鳥兒飛翔時所展開的一雙翅膀，展翅才能高飛，是個象形字。

金文：由甲骨文演變而來，仍像張開的雙翅。

小篆：較金文複雜，是背靠背的對稱。

楷書：由小篆筆法簡化而來。

非之簡化字與繁體字相同。

◆古義

《說文》：非，違也。從飛下翄，取其相背。」「翄」即翼也，翅膀也。禽鳥類「兩翅相背」才能飛翔，故其本義為「飛」，「阜陽。漢簡」中的「詩經」有：「匽匽于非」句，即「燕燕于飛」也，故「非」古通「飛」、「飛」之甲骨文為「凡」像上下兩隻大雁在天空飛翔。因「飛」有專字，後人逐取「非」為「兩翅相背」之義而轉用為「是」的反義詞。「易經。繫辭下」：「若夫雜物撰德，辨是與非。」「是」與「不是」，「對」與「錯」也，「詩經。小雅。北山」：「溥天之下，莫非王土；率土之濱，莫非王臣。」「浦通「普」，「莫非」即「莫不是」。亦引申為「詆毀」、「毀謗」。「孝經。五刑」：「非聖人者無法，非孝者無親。」亦有「未嘗」、「何嘗」之義。「孟子。公孫丑」：「城非不高也，池非不深也！」「非」即「錯」，「錯」即「過失也」！「文過飾非」是掩飾過失。「非」是反義，與之組合成句者，均與其字成「反義」，如「非人」、「非凡」、「非分」、「非法」、「非常」等。

◆今意

「非」被轉用為「是」的反義詞後，至今用法未變，「李清照，鳳凰台上憶吹簫」詞用得最好：「新來瘦，非干病酒，不是悲秋。」「非干」即不是也！「是非曲直」是指事情正確與不正確，合理與不合理；但常因個人的思想、觀念、性情、認知等而有差異。很多人喜歡「喝咖啡聊是非！」往往言多必失、禍從口出、惹上是非。現是「地球村」的時代，視野應開闊，心胸應寬大，對「非我族類」更應尊重、包容，社會才能和諧！

「宋・蘇軾・薄薄酒」：「世間是非憂樂本來空」，人在世間種種的是非憂樂本來就是一場空，豁達以對，品格自高。

行楷

甲骨文

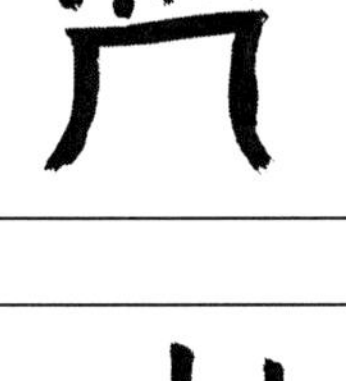
金文

小篆

行書

甲骨文：上半部是個「冊」字，下半部左右兩邊是左右兩隻手，用雙手恭敬捧起的書籍，慎而遵行的叫「典」，是個會意字。

金文：上半部仍是由竹簡串成的「冊」，下半部變成了「丌」（音基）字，「丌」者，基也，置冊之架也。

小篆：由金文演變而來，與金文形義相同。

楷書：由小篆演變而來，筆畫較簡化。

典之簡化字與繁體字相同。

◆古義

《說文》：「典，五帝之書也，從冊，在丌上。」丌者，托物的基礎、基架也。五帝指上古之帝，有伏羲、神農、黃帝、少皞、顓頊及黃帝、顓頊、帝嚳、唐堯、虞舜兩種說法。五帝所留下之書冊稱五典，其必為治國利民之經典也。「爾雅。釋言」：「典，經也。」亦「法」也，「周禮、天官、大宰之職」：掌建邦之六典。」「詩經。大雅。蕩」：「雖無老成人，尚有典刑。」老成人指舊臣，典刑指典章法度。雖然沒有德高望重的老臣，但仍有典章和法度在。「典刑」亦作「典型」、「型」乃鑄器之灋，灋（章法）是「法」的本字。以木鑄之曰「模」，以戶鑄之曰笵（音飯），以土鑄之曰型，引申為「典型」。

◆今意

現在我們不論演講、論述、編纂、定則等都要引經據典，才能站得住腳，故典之本義至今並無多大變化，「典」亦曾用於「典當」，以物質錢也。「唐、杜甫、曲江詩」：「朝回日日典春衣，每日江頭盡醉歸，酒債尋常行處有，人生七十古來稀。」古時詩人為酒典當，放浪中帶有瀟灑，今者嘗聞因賭博、吸毒而典當者，已失典當之本義與精神。經濟隨著時代進入小康社會後，「典當業」亦已逐漸沒落了！

「典故」是指古人的事蹟，前人的故事。

「典獄」是管理獄中事務的官員，主管者稱「典獄長」。

行楷

甲骨文

金文

小篆

行書

甲骨文：上端是右右兩隻羊角，下面是個人的形象，頭上戴著一對羊角狀裝飾物的人，就是「羌」族人的特徵，是個象形字。

金文：與甲骨文相同，只是羊角較長，人的體形亦顯瘦長。

小篆：上半部由「羊角」變成「羊」字，下判部仍有人形的形象。

楷書：由小篆筆法轉換而來。亦「羊」與「兒」的組合，「兒」亦人之形象也。

羌之簡化字與繁體字相同。

◆古義

《說文》：「羌，西戎牧羊人也，從羊。」羌是種族的名稱，本是「三苗」的後裔，古「三苗」乃國名，建國在長沙，國境色括江南、荊州、楊州等地，即今之湖南岳陽、湖北武昌、江西九江等地，舜時被迫遷徙至「三危」，「尚書。舜典」：「竄三苗于「三危」」，「三危」即今西藏地區也，東漢時分為東西羌，東羌居「安定」（今甘肅省東部），「西河」（今山西西北及綏遠南部），西羌居「金城」（今甘肅南部、青海東部），晉時為五胡之一，五胡亂華之後散居於今甘肅臨澤、岷縣及四川松潘、茂縣等地。

◆今意

「羌」除指種族外，亦為楚人用於發語之辭，「離騷」：「羌內恕己以量人兮，各興心而嫉妒。」即以己心度之於人而心生嫉妒也，今則已無此發語辭了，「笛」為漢武帝時丘仲所製，後羌人之笛謂「羌笛」，最早為三孔，後演變為四孔，漢時善鍾律之京房（李君明）再加一孔，以成五音。「唐、王之渙」：「羌笛何須怨楊柳，春風不度玉門關。」詩中強烈感受到羌笛哀怨的訴說離愁，離人傳唱至今！

「羌活」是二年生草本，產在「西羌」，根可做藥。

「羌無故實」是指詩語本色，不必有典故事實，無病呻吟可也，此成語今已少用。

行楷

甲骨文

金文

小篆

行書

甲骨文：左邊是一個面朝左跪著的奴隸或僕人，右邊是一隻伸出的右手將奴僕的頭部按住，令其行事之義，是個會意字。

金文：在甲骨文的左邊加了個「舟」形，表示令奴僕上船搖櫓之義，行事之意更明。

小篆：由金文演變成兩部份「舟」。「手」不變，人的跪姿卻省略轉為文字化。

楷書：依小篆字形轉化而來。

服之簡化字與繁體字相同。

◆古義

「服」者、臣服、服事、服從、盡職、聽令行事之謂也。「論語。泰伯」：「三分天下有其二，以服事殷。」周文王雖有三分之二的天下，但仍以臣子之禮服事殷商。此乃服政事也，替國家做事也。「禮記、內則」：「道合則服從，不可則去。」服其事而從其君也。亦有「順服」、「懾服」之義。「易經。豫卦」：「聖人以順動，則刑罰清而民服。」聖人順其自然之禮而行動，則刑罰清明，百姓順從也！因「衣」為服事人體之物，故「著衣」稱「服」，「詩經、周南、葛覃」：「為絺為綌，服之無斁。」絺（音吃）為細葛布，綌（音夕）相葛布，穿在身上從不厭惡。亦「思」也，「詩經、周南、關雎」：「求之不得，寤寐思服。」進求不到她，日夜想著她。「服」亦吃也，「服藥等也。古時一車四馬中，靠中央夾轅之兩馬稱「服馬」。

◆今意

以今之口語來說，服其職權之管轄，從其治事之規範，不違背不抗拒而恪盡職責者謂之「服從」。軍人以服從為天職，沒有討價還價空間，沒有任何折扣好打，有人譏之為「愚忠」，「盲從」，但國家大事應衡之以「大是大非」！否則「愚忠」、「愚孝」、「愚仁」、「愚義」均非所取。現在很多人退休後轉做義工、志工，將餘生回饋社會，無私奉獻，不計酬勞，此乃今人對「服務（助人）為快樂之本」的新定義也。

「服兵役」是國民的義務，亦是榮譽，俗稱當兵，男子當兵後，能學到很多東西，從媽寶變成男子漢，脫胎換骨了。

行楷

甲骨文

金文

小篆

行書

甲骨文：左邊是一隻耳朵，右下方是一隻手形，用手抓住一隻耳朵就是「取」、「捕取」，
捕獲禽獸之義，是個會意字。

金文：由甲骨文演變而來，左邊的耳朵由象形變得較立體，其義仍相同。

小篆：左邊的耳朵由立體形狀轉為文字化了。

楷書：由小篆字形演變而來，仍是「耳」與「手」的組合。

取之簡化字與繁體字相同。

◆古義

《說文》：「取，捕取也，從又耳。」捕獲取得之義。「周禮、夏官、大司馬」：「獲者取左耳。」捕獲禽獸後，抓住或割取其耳，後亦用於戰俘，故知「取」之本義為「捕取」、「收取」。「弱水三千，取一瓢飲。」取的是物質，「孟子。告子」：「生亦我所欲也，義亦我所欲也，二者不可得得兼，舍生而取義者也。」此「舍身取義」取的是精神。「左傳，昭公七年」：「其用物也弘矣，其取精也多矣。」原指居官掌權甚久者，其享用必多而精，後指自豐富材料中吸取精華為「取精用弘」。「取次」是唐朝時之方言，有依序、率爾、經過等義，「唐，元稹」：「取次花叢懶迴顧，半緣修道半緣君。」經過成羣的美女身邊都懶得回頭看她們一眼。「取」古亦通「娶」字。

◆今意

現在捕獸或對待戰俘已不「割耳」了，那是很殘忍而不人道之事，人們常說：「君子愛財，取之有道。」項羽：「彼可取而代之」是強取，多爾袞致史可法書「取舍從違，應早審定。」是語帶威脅，「取之不盡，用之不竭」的先決條件是「書讀萬卷，積德行善。」「取次花叢懶迴顧」是用情專一的表徵！「取消」是否定前議，「取法」是效法，「取笑」是譏笑，「取悅」是討人歡心，但千萬別阿諛奉承！

「取巧」是讀書或做事走捷徑，如方法正當而不損及他人則可行。

行車就怕違規被取締，一旦吃上罰單，荷包又要失血啦！

行楷

金文

小篆

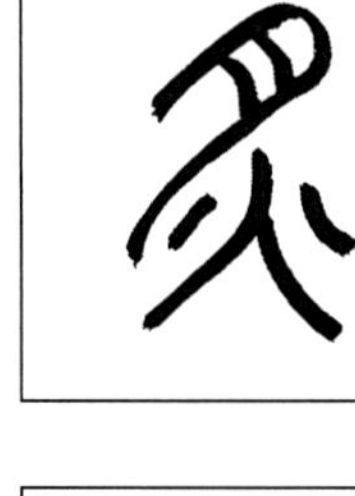

行書

金文：上半部是一塊肉的形狀，下半部是個「火」，把肉放在火上烤，是個會意字。

小篆：由金文演變而來，肉形稍有變化。

楷書：由小篆字形演變而來，其古義未變。

炙之簡化字與繁體字相同。

◆古義

《說文》：「炙，炮肉也，從肉，在火上。」炮者，連毛一起包裹燒之也，「詩經。小雅。瓠葉」：「有兔斯首，炮之燔之。」有野兔的頭，有的連毛整個用泥包裹起來，用火燒煨，有的直接放在火上燒烤。先去其毛而燒烤者稱「毛炮」。「周禮、地官、封人」：「歌舞牲及毛炮之豚。」「詩經、大雅、行葦」：「醓醢以薦，或燔或炙。」「醓（音毯）」是指有汁的肉醬，「醢（音海）指肉醬，献上有汁的肉醬，有的燒、有的烤。故「炙」之本義為「烤」食物。把食材與汁液同時薰烤或燒炒稱「蜜炙」。「炙」必須以大火，猛火為之，故常以酷熱形容高溫，如烈日炙陽。引中為勢燄旺盛，「唐、杜甫、麗人行」：「炙手可熱勢絕倫，慎莫近將丞相嗔。」「炙手可熱」是比喻權貴氣焰甚盛，聲名熱得發燙。詩中所指權貴乃唐朝丞相楊國忠，「膾炙人口」是指人人稱道「炙膚皸足」是形容農夫的辛勞，「皸（音軍）是皮膚因乾或凍而破裂，稱「皸裂」，農人是陽曬膚，寒水凍足，極為辛苦也。

◆今意

現在蒙古，新疆一帶仍保有烤全羊的吃食，都先去其毛及內臟而烤之，即古之「毛炮」，有些地方亦有用泥土包雞等小型家禽來烤的，至於碳烤燒餅等，仍極普遍，現在用烤箱烘焙的麵包等就不能稱「炙」了，所以現在「烤」的範圍較「炙」寬廣得多，就算直接用火烤，現在也不說「炙」而口語化的說「烤」了，「炙手可熱」則仍常用之！

古人常用的「炙輠」是比喻言論無止境，「炙膚皸足」是指農夫工作的辛苦等，現今幾已不用！

行楷

甲骨文

金文

小篆

行書

甲骨文：上面是一隻伸張出來的右手，手腕到手肘的中間有一塊隆起的肌肉，這塊肌肉是個指事符號，表示「肱」之所在，是個指事字。

金文：由甲骨文演變而來，指事的符號更明顯。

小篆：左邊多出了一個「肉」旁代替指事符號，此時已變成了形聲字。

楷書：由小篆形體演變而來，左邊「肉」旁成了「月」字，右邊的「手」與「指事符號」反轉過來寫成了「厷」字。

肱之簡化字與繁體字相同。

◆古義

《說文》：「肱、臂上也。」上至肘，下至腕也。「詩經、小雅、無羊」：「麾之以肱，畢來既升。」「麾（音灰）」者，揮也。「肱」指手臂，「畢」是「盡也」、「全部」也，「升」指登也，入也。牧羊人把手臂一揮，羊兒全部入了羊圈。「論語，述而」：「飯疏食、飲水、曲肱而枕之，樂亦在其中矣。」吃的是疏菜粗飯，喝的是清水，睡覺沒枕頭，曲臂代之，生活雖然窮困，但樂趣仍在其中啊！「左傳，定公十三年」：「三折肱知為良臂。」手臂折傷了三次變成了良醫，所謂久病成良醫也！

◆今意

「左傳，昭公九年」：「君之卿左，是謂股肱。」股肱是身體行動的重要依靠，故古代輔佐帝王之重臣稱「股肱之臣」。今者，得力的幹部常被老板稱為「左右手」，蓋因欲成其事，左右兩手不可缺一。「肱骨」是指上膊骨，位在肩胛骨與前膊之間，近肩者為肩膊，近脅者為胳膊，現在對靠近肩部者稱「上膊」，靠近手部者稱「下膊」，兩者統稱「臂膊」！現在人人都有枕頭睡，曲肱為枕又樂者，吾未見之也！

現在對得力的助手稱「左膀右臂」，口語化了許多，如說「股肱之臣」，雖較文言，但卻更顯份量！

行楷

甲骨文

金文

小篆

行書

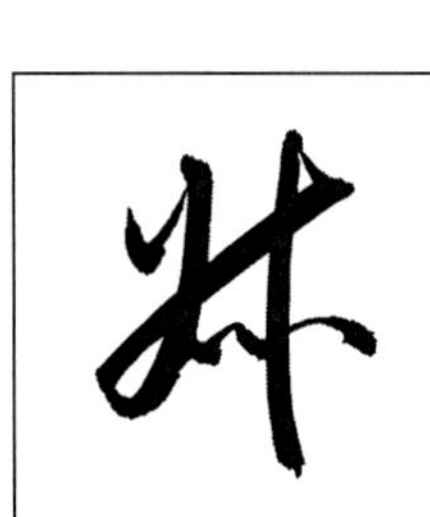

甲骨文：左下方的一條曲線向右上方攀爬，像一株爬籐類的植物，右下方往左上方延伸的是個人形，人在籐下拾豆，是個會意字。

金文：人形變到左邊，爬籐變到右邊，採拾豆子之義仍同。

小篆：左邊變成尗「音叔」字，「尗」同「菽」，是豆類的總稱，右邊的人形則變成手形。

楷書：由小篆的字形直接轉換而來。

叔之簡化字與繁體字相同。

◆古義

《說文》：「叔，拾也。」收拾之也。「詩經、幽風、七月」：「七月食瓜，八月斷壺，九月叔苴。」「壺」通「瓠」指「葫蘆」。「苴」指「痲籽」。其義為七月吃瓜果，八月把葫蘆摘下，九月則拾取痲籽。故知「叔」之本義為「拾取」。用採拾豆類，故「叔」亦即「尗豆」，「尗」亦與「菽」同，是豆類的總稱。後被借用為「叔伯」的「叔」，兄弟相次的先後為伯、仲、叔、季。即稱父弟曰「仲父」，仲父之弟曰叔父、叔父之弟曰季父。另婦人稱丈夫之弟為「叔」，稱丈夫之妹為「叔妹」，即小姑也。另稱父執輩年較自己父親小者為「叔」，叔之妻稱「叔母」。「叔翁」、「叔婆」是指叔祖父、母。

◆今意

「叔」當「拾取」之本義今已不用，而專用於兄弟之排行。今稱父親的弟弟叫「叔叔」，父親的哥哥叫「伯父」，叔父的妻子稱「嬸母」，以前妻稱夫之弟為「小叔」，稱其妻為「嬸嬸」，稱夫之姐妹為「大、小姑」，如今則有簡化的趨勢，多半站在丈夫的地位稱「弟、妹、弟媳、妹夫」等，這是揚棄男尊女卑的舊觀念，也是時代進步的自然發展，要注意的是，有些「伯伯」他希望你叫他「叔叔」或「老大哥」，不然心理會不舒服。

現今社會流行一種風氣，對年輕的男女稱「帥哥」、「美女」，對年長者不論其多老，都稱「大哥」、「大姊」，頂多叫個「叔叔」、「阿姨」，否則會招白眼的！

行楷

甲骨文

金文

小篆

行書

甲骨文：中間是一個像碗盤的器皿，上下各為一隻手，兩手是相對的方向，其義為將碗盤交到另一人手中，是個會意字。

金文：上面的手變成了「爪」形，中間的器皿變成了「舟」形，其義仍爲碗盤等，因爲「舟」的體積太大，不能用手「授」與「受」。

小篆：中間的「舟」形簡化成「寶蓋」形，上下之義未變。

楷書：由小篆字形轉變而來，古義未變。

受之簡化字與繁體字相同。

◆古義

《說文》：「受，相付也。」亦得也。「易經。既濟」：「東鄰殺牛，不如西鄰之禴祭，實受其福吉大來也。」東鄰殺牛盛大祭祀，不如西鄰簡單的祭祀更能受到神靈的庇佑。「詩經。大雅。皇矣」：「天立厥配，受命既固。」上天扶立那有德的人為君王，他接受天命後，國家強盛而穩固。故知「受」之本義為「付與」、「給予」、及「接受」、「承受」。「易經。咸卦」：「君子以虛受人。」君子以向善之德授予人，而不是授人以小恩小惠。亦有「容納」、「任用」之義，「論語。衛靈公」：「君子不可小知，而可大受也。小人不可大受，而可小知也。」對於君子，不能以小事評估，卻能畀以重任，對於小人不能交付大事，卻可用他做些小事。

◆今意

「受」在古時有「承受」與「付與」兩個對立面的義意，因須看上下文，才能知道是「承受」，還是「付與」？後人為求有別，另在「受」邊加了手旁為「授」，專用於「付與」、「給予」用，而「受」便專用於「承受」、「接受」了，所以現在不能將「受」「授」誤用，以免辭義相反！「受」也有「遭遇」、「遭受」之義，今常用之，如「受傷」、「受害」、「受寒」、「受氣」、「受難」等，千萬別用「授」！

不論官場職場，受人之託是常事，但千萬別「收受」賄賂，否則將「受制於人」了！

行楷

甲骨文

小篆

行書

甲骨文：三個「力」併肩排在一起，亦即三個耕田的「耒耜」排在一起，表示集中力量同作一件事，是個會意字。

小篆：右邊的三個「力」是小篆的寫法，左邊加了「十」字邊，表示集眾人之力也！

楷書：由小篆直接轉換而來。

簡化字：「力」字左右各加一點表「力」，如同「辦」字在「力」左右各加一點為「办」，點表「辛」以簡化之也。

◆古義

《說文》：「協，眾之同和也。」集眾人之力於一事也！亦即「共同致力」、「齊心協力」、「協調合作」之義也！「尚書。堯典」：「百姓昭明，協和萬邦。」使天下萬國和樂融處也！故知「協」之本義為「共同」、「合作」、「協同」。如「三國志。魏志。張遼傳」：「將軍宜興協同策謀，圖泰山之安。」引申為「助」、「佐」之義。如清時內閣設「協辦大學士」，皆繫殿閣銜。亦於總理事務大臣之下設置「協理」數名，以協助處理事務也！亦於總兵官之下設副將，領一協，通稱「協鎮」，亦是對副將的敬稱。清時軍隊以三營為一標，兩標為一協，「協」如現今之「旅」、「協」另通「汁」。「方言」：「協，汁也，自關而東曰協，自關而西曰汁。」

◆今意

「叶」是「協」的古文，同音同義，如「叶韻」。後簡化字以其音近而代替「葉」字。古時豎心旁的「恊」與「協」是不同的，「恊」與「愶」同，乃以威力相恐也。今人漸俗用與「協」同，用「心」旁表示同心協力之義也！是乎也有點道理，所以現在「恊」變成了「協」的俗字！現在大型企業、公司行號在副總經理之下設置「協理」若干，以襄助其督導「經理」以下之各種事務，乃上下之間和諧溝通的橋樑也！

現在的機關團體各個部門各司其責，但要講求「協調」，橫向聯繫非常重要，如不能「同心協力」，各吹各的號，則政事寸步難行。

行楷

甲骨文

金文

小篆

行書

甲骨文：上面是個「于」字，表聲，下面是個器皿的「皿」，表義，「盂」是盛飯、湯、酒等的食物器皿，是個會意兼形聲的字。

金文：由甲骨文演變而來，器皿稍有改變。

小篆：「于」字稍有不同，器皿與金文相同。

楷書：基本上由金文形體轉變而來。

盂之簡化字與繁體字相同。

◆古義

《說文》：「盂。飯器也。」裝飯的器皿也，亦用於裝湯和酒等液體。「史記。滑稽列傳」：「操一豚蹄。酒一盂。」手裡提著一隻豬蹄，一缽子酒，「缽」與「盂」相似，有陶製、鐵製、銅製等。故知「盂」之本義為「盛食之器」。「韓非子、外儲篇」：「君猶盂也，民猶水也，盂方水方，盂圓水圓。」君王像隻盂，人民有如水，盂為方形，水即方形，盂圓水形亦圓，比喻君有賢德，則臣必有賢能，百姓均為賢民也！「盂」亦古田獵之陣勢：「左傳。文公十年」：「宋公為右盂，鄭伯為左盂。」宋公在右邊擺個盂形，鄭伯在左，兩邊同時包圍獵物。佛教徒每年農曆七月十五舉行法會，超渡祖先，並以牲果施食孤魂野鬼，稱為「盂蘭盆會」。

◆今意

現今已不用「盂」盛飯裝酒了，它曾用做吐痰的「痰盂」，專供人吐痰之用，現在的人知識水準已漸提高，也懂得講究衛生，痰吐在衛生紙上，或吐在抽水馬桶中沖掉，家中有痰盂的人少之又少！也許你仍會看見有些人隨地吐痰，好像習慣變成自然，自然成為當然，但會受到世俗眼光強烈譴責！「盂蘭盆會」現在通俗的說法是農曆七月半祭拜好兄弟（孤魂野鬼），請其勿擾也！

行楷

甲骨文

金文

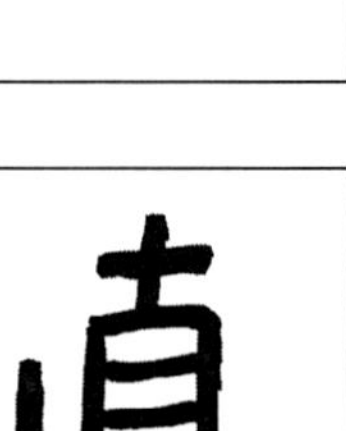
小篆

行書

甲骨文：是一隻眼珠瞪得大大的眼睛，眼睛上有一條直線，用眼睛看直線，表示正直之義，是個會意字。

金文：眼睛上有一短橫長豎，左邊亦有一長豎短橫，不論橫豎，均表「直」義而不彎曲。

小篆：由金文演變而來，眼睛變成「目」字。

楷書：由小篆演變而來，「目」裡多了一橫。

直之簡化字與繁體字目同。

◆古義

《說文》：「直，正見也。」正面而視也，不彎不曲「說文」也。「尚書。洪範」：「王道正直。」「王道」乃王者之道，為中正和平之正道。「正直即心性公正而剛直。「論語。為政」：「舉直錯諸枉。則民服。」舉用正直的人，捨棄那些不正派的人，人民就會服從。故知「直」之本義為「正直」。凡不「正」「直」即為「歪」、「彎」、「斜」、「曲」也。「詩經。鄭風。羔裘」：「羔裘如濡，洵直且侯。」羔羊皮做的袍子非常柔軟，線縫得直而美也！「直」亦引申為「正確」、「妥善」。「詩經、魏風、碩鼠」：「樂國樂國，爰得我直。」快樂的國土啊，這裡才是我正確安身之地。「直」古與「值」通，表價值。「史記，。張湯傳」：「家產直不過五百金。」

◆今意

「直系」除指親屬的直系、旁系外，民初以馮國璋、曹琨、吳佩孚等為首的北洋軍閥，因大多河北省人，河北舊稱「直隸」，故稱此派軍閥為「直系」。現在不經考試直接升學或升等稱「直升」，不需跑道，可直接升降的叫「直升機」，電流的方向和強度一直不變的叫「直流電」，如鐘錶、手電筒等用的電池。直接把稅繳給政府的稱「直接稅」，如「營業稅」、「遺產稅」，廣電傳播媒體直接現場播出的節目稱「現場直播」！

「元・元遺山・摸魚兒」：「問世間，情是何物，直叫生死相許」這「直」字用得好啊！「真」是一針見血，一語道破啊！

行楷

甲骨文

金文

小篆

行書

甲骨文：下面是個「酉」字，「酉」指酒瓶（罈），是「酒」的本字，酒瓶上有三個小點，
表示釀造於瓶的酒所冒出之香氣，是個象形字。

金文：頂部的三個小點變成了「八」，「八」即「分」也，掌分酒之事也。

小篆：由金演變而來，瓶上花紋更有線條之美。

楷書：由小篆字形轉換而來。

◆古義

《說文》：「酋，繹酒也，從酉，水半見於上，酒久則水上，見而糟少也。」「繹」者，陳也、舊也、「繹酒」指陳酒，「釀造酒」放置久了以後，面上酒滓會漸下沉變成酒糟。「酋酒」亦稱「昔酒」、「酋」與「昔」均「久遠」之義，段玉裁稱為「日久之酒」，妥釋也，日久而酒熟也，故知「酋」之本義為「酒熟」。金文之「酋」字以「八」、「酉」組成，乃「分酒」之義。「禮記。月令」：「乃命大酋。」「大酋」指掌酒之最大長官也。由「熟」引申為「成」、「就」。「漢書。敍傳」：「說難既酋，其身迺囚。」說難這本書已寫成了，己身卻繫牢囚也。「酋」亦指盜黨之魁帥，或蠻夷之渠帥，亦即部落的首領也，至今仍有「酋長」一詞。「酋酋」是指「成就」，如秋天穀物有收成，即謂「酋酋」也。

◆今意

「酋」之古義在現代白話文裡已甚少用，古以五穀雜糧等釀酒，雖酒成，糟沉甕底，但酒面仍浮有酒滓等白色泡沫物，故飲酒時，滿飲一杯稱「浮白」。「浮白」亦有「罰酒」之義。漢。劉向：「說苑。善說」：「魏文侯與大夫飲酒，使公乘不仁為觴政。曰：飲不釂者，「浮以大白」。「觴政」是酒令，「釂」是飲盡，沒乾杯的就要罰酒之謂也，現在喝酒的人很多把「浮一大白」當成乾一大杯，孰不知其有罰酒之義也，「酋」在今日仍用於部落的首領——「酋長」。

行楷

金文

陶文

小篆

行書

金文：上面是一個斜頂的樓，以「高」字表義，高聳之樓台，下部是支撐，用「丁」字表示，「丁」亦表聲，是個形聲字。

陶文：與金文相似，下部支撐變得結實，表聲的「丁」字放在底部支撐內。

小篆：由陶文演變而來，字形筆法化了。

楷書：由小篆筆法演變而來，由省掉一半的「高」字與「丁」字組合，與金文之故古義相同。

亭之簡化字與繁體字相同。

◆古義

《說文》：「亭，民所安定也，從高省、丁聲。」即以「高」表義，「高」字用了一半，省了一半，以「丁」表聲。「釋名」：「停也，道路所舍，人所停集也。」「風俗通」：「停留也，行旅宿會之所館也。」故知「亭」之本義為道路旁行人「暫憩之處」。「唐。李白。菩薩蠻」：「何處是歸程，長亭更短亭。」古時十里一長亭，五里一短亭，要走到何時才能到家？古十里一亭，十亭一鄉，亭設「亭長」，亦稱「亭父」、「亭公」。如漢高祖劉邦最初曾任泗上亭長，「亭」在軍事上為「瞭望亭」，邊塞用觀敵情也！「亭」因高而直，故引申為「正」、「直」、「亭午」即「正午」、「直午」也。「亭亭」是泰山下的一座山名，亦有「直立」、「明亮」之義。又水止曰亭，「亭」與「渟」同。古之「青亭」即今之「蜻蜓」。

◆今意

古用於軍事防禦的「崗亭」，今則稱「崗哨」。由於交通發達，路邊供旅人休憩的只有「休息站」，裡面有「站長」，而無「亭長」，現在的「亭」多在公園，供人歇腳、乘涼，故稱「涼亭」、「亭亭玉立」是現在形容女孩子姿態挺立而秀美。以前路邊設有小型的售票亭、收費亭等，現已漸漸淘汰。人到老年，怕吟李叔同的送別：「長亭外，古道邊，芳草碧連天。」尤其第二段：「天之涯、地之角，知交半零落。」那份落寞太傷感啦！

行楷

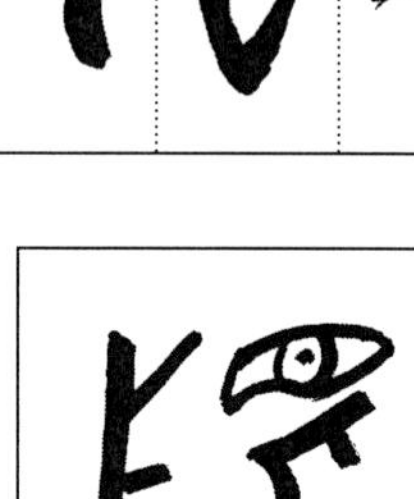

金文

小篆

行書

金文：左邊是一層一層階梯之形，是個「阜」字，代表山丘，右上方是一隻大眼睛，下方是個面朝右側立的人，張大眼睛回頭望，卻被山丘擋住視線，是個會意字。

小篆：左邊階梯形象變成「阜」字之形，右上眼睛變成「目」，「目」下仍是人形。

楷書：由小篆字形演變而來，已不見「目」、「人」之形。

限之簡化字與繁體字相同。

◆古義

《說文》：「限。阻也。」阻隔也。界限也。「國策。秦策一」：「南有巫山、黔中之限。」「巫山」在四川省，「黔中」指湖南、貴州等省的一部分，南邊有巫山、黔中阻隔之義。「唐。李商隱。登樂遊原」：「夕陽無限好，只是近黃昏。」「無限」即沒有止盡、界限也。故知「限」之本義為「阻隔」、「界限」。亦有「門限」之義，「玉篇」：「限、閾也。」「閾」者，橫界於門下之木謂閾，即門檻乃門內門外之限制，故引申為「限制」。漢武帝時，私人兼併土地極為嚴重，漢哀帝時，曾下詔「限田」，規定貴族、官吏、地主占田不得超過三十頃。亦引申為「期限」，限定日期也。「晉書。傅玄傳」：「六年之限，日月淺近。」以六年為期限也！

◆今意

「限」之本義至今未變，政府為穩定物價，常對重要物資實施「限價政策」，發行貨幣有「限額發行」的規定，繼承遺產時，對超過遺產以外的負債不負償還責任稱「限定繼承」，不宜兒童觀看的書報、電視等稱「限制級」，而七歲以上的未成人，法律給予一定程度的行為能力，稱「限制行為能力」。「限制」就是侷限在一定的範圍，而「無限」則無止境，「唐、李白、清平調」：「解識春風無限恨。」一國之君竟然在春光無限的春天裡，有無盡的悵恨，唐玄宗誤國深矣！

行楷

甲骨文

金文

小篆

行書

甲骨文：像一種陶瓦製成的鐘形樂器，上端有柄，可持可掛，下部方圓，用小槌敲打以發聲，是個會意字。

金文：由甲骨文演變而來，其形相似。

小篆：與金文極為相似。

楷書：由小篆字形演變而來。

南之簡化字與繁體字相同。

◆古義

「詩經。小雅。鼓鐘」：「笙磬同音，以雅以南，以籥不僭。」「笙磬」指竹笙與石磬，「同音」是合音、同調，「雅」、「南」均為古樂器名，「籥（音岳）」類似排簫，「僭」指亂；竹笙與石磬兩者相合，敲打著雅與南，吹起簫，各種樂器齊鳴，毫不雜亂。故知「南」之本義為「樂器」，後被借用為方向。《說文》：「南，草木至南方有枝任也。」「枝任」是指葉茂而枝能荷任，北方酷寒，南方適宜草木生長。「論語、子路」：「子曰：南人有言。」「南人是指中國南方的人。「唐、王維、相思」：「紅豆生南國，春來發幾枝，勸君多採擷，此物最相思。」「南國」指中國南方。「易經。說卦傳」：「聖人南面而聽天下。」古之皇位坐北朝南，向南面稱王，故稱「南面王」。另以江蘇為界，江蘇以北之沿海各省稱「北洋」，如「北洋軍閥」，江蘇以南之浙江、福建、廣東等沿海各省稱「南洋」。

◆今意

「南」自被借用為方位後，其古義已不存。今之「南洋」已泛指東南亞之南洋羣島等地，大陸沿海地區已少用之。「南無（音拿膜）是梵語，現在經常可看到「南無阿彌陀佛」的佛語，現在我們祝人長壽常說「壽比南山」，語出「詩經、小雅、天保」：「如南山之壽，不騫不崩。」南山是指終南山，亦即秦嶺、巍峨高大，不減損，亦不崩塌！「南柯一夢」是唐。李公佐的小說，敘述淳于棼在夢境中享盡榮華富貴，醒來原是美夢一場！

「唐。杜牧。江南春」：「南朝四百八十寺，多少樓台烟雨中。」這首詩仍是現今書法愛好者經常書寫的句子。「牙牙學語」的孩童也常背誦之。

行楷

金文

小篆

行書

金文：左上是「彳（音斥）」，是行動的符號，左下是腳「止」，表示配合腳的行動，右上是山崖裡的洞穴，洞裡有一隻手，手邊有兩水滴，以手循序探測也，是個會意字。

小篆：由金文演變而來，右邊已看不出原義。

楷書：由小篆演變而來，「辵」部寫成「走之—辶」旁，右邊更不見洞穴與手形，變化較大。

述之簡化字與繁體字相同。

◆古義

《說文》：「述。循也。」「循」者、順也，依序也。依照前人所為而「述」也、「遵循」也！「後漢書。順烈梁皇后紀」：「述遵先世。」即遵循老祖宗之義也。故知「述」之本義為「遵循」。「中庸」：「父作之、子述之。」「論語、述而」：「述而不作，信而好古。」「述」即傳述，孔子對自己刪詩書、定禮樂、修春秋等著述頗表自謙，稱「謹傳述而不創作，守信而好古禮。」此即引申之「傳述」、「著述」、「撰述」、「敍述」、「陳述」等義，「孟子。梁惠王」：「諸侯朝於天子曰述職。」「述職」是諸侯對自己掌理之事，定期向天子回報，由「陳述」引申出「口述」、「記述」、「范仲淹。岳陽樓記」：「前人之述備矣。」以前的人都已口述或記述得很完備了！「記述」是記載前人或他人之言行，「著述」是自己的「論述」，或在「記述」中加了自己的「論述」（如孔子作春秋），兩者稍有不同。

◆今意

「述」之本義為「遵循」，如「述事」是指承繼祖先的事業，之後漸漸變成以「筆」寫或以「口」說的方向，「述作」是論述前人之説作為創作，孔子的「述而不作」是只「傳述」、「論述」，但卻自謙的不當成自己的創作！以「口」敍述稱「口述」，年長的老者，歷經無數艱辛，但無法用筆寫下，只能以口敍述所經歷的那一段，稱「口述歷史」！現在的「述職」多指派駐國外的外交官定期回國向長官報告施政概況！

行楷

金文

小篆

行書

金文：中間的上半部是幺，代表連綿不斷的絲，中下方是「肉」，表示骨肉相連，左右兩撇是「八」字，是「分」的意思，表示開枝散葉、編延不斷，是個會意字。

小篆：由金文演變而來，其形體極為相似。

楷書：由小篆形體轉換而來，右邊因美化筆法而稍有變化。

亂之簡化字與繁體字相同。

◆古義

《說文》：「胤，子孫相承續也，從肉從八，象其長也，幺亦象垂累也。」子孫相承續，開枝散葉，如絲縷綿延不斷。「國語。周語下」：「胤也者，子孫蕃育之謂也。」亦即繼嗣也，「詩經、大雅、既醉」：「君子萬年，永錫祚胤。」「錫」者，賜也；「祚」指福氣，祝您這有德行的君王，上帝永遠賜福給您的子孫。「劉孝標自序」：「敬通有子仲文，官成名立；余禍同伯道，永無血胤。」「伯通」指晉人鄧攸，字伯道，戰亂中攜子與侄兒逃難，屢遇險阻，知難兩全，遂棄子全侄，後無繼嗣也！嘆者曰：「天地無知，使伯道無兒。」後人稱無子，常喻為伯道。血胤者，血脈相連的子孫後嗣。

◆今意

古人較重男輕女，以承續繼嗣為傳宗接代的大事，把「不孝有三，無後為大」曲解成沒有生個兒子傳宗接代，就是最大的不孝。受歐風東漸影響，現在人們已沒那麼重視非得生男孩不可了！生了女孩，做父親的還會高興的說：「女兒是爸爸前世的情人！」培養兒女長大後，都讓他們自由的飛翔，很少人會存有養兒防老，老後靠兒的觀念，如此一來，「血胤」是否承續綿延？已不重要了！

現在生兒育女可以從母姓，女兒亦可傳承「血胤」，說女兒是爸爸的小棉襖真太貼切了。

行楷

甲骨文

金文

小篆

行書

甲骨文：上端中央是頭髮，左右是雙手在梳整頭髮，下半部是一個面朝左跪坐的人形，是個象形字。

金文：其形與甲骨文相似。

小篆：頭髮變成「艸」頭，中間是一隻右手，下為口，變成了「右」字。

楷書：由小篆字形轉換而來，已不見用手理頭髮之形。

若之簡化字與繁體字相同。

◆古義

「詩經。小雅。大田」：「既庭且碩，曾孫是若。」「庭」者，挺立也，直也；「曾孫」是指「主祭者」，「是若」即「若是」之倒文，為求叶韻；穀物長得挺直而壯碩，主祭者順心滿意。故知「若」之本義為「順」，整理頭髮使之順也。「尚書。堯典」：「欽若昊天。」敬順上天也。「若」亦引申為「擇」，《說文》：「若，擇菜也，從草、右。右，手也。用右手擇之也。亦「汝」也，如「若輩」，即「汝輩」也。亦「奈」也，如「若何」，即「奈何」也。亦「及」也，「國語。晉語」：「病未若死。」即「病未及死」也！亦「如此」也，「孟子。梁惠王」：「以若所為，求若所欲，猶緣木而求魚也。」亦「如果」、「倘若」，「宋「血胤」王觀」：「若到江南趕上春。千萬和春住。」

◆今意

古之「順」、「擇」等本義，今已少用，而今用於副詞較多，即「假如」、「如果」、「倘若」、「若使」等，如「若要人不知，除非己莫為」，「宋。王觀」：「若到江南趕上春，千萬和春住。」是失去後仍帶有希望。「宋、嚴蕊」：「若得山花插滿頭，莫問奴歸處！」是渴望自由的悲涼！「唐。李賀」：「天若有情天亦老」是為情所困的愁悵，後人以此句為上聯，作下聯「月如無恨月長圓」以對，對仗工整，「若」、「如」揮映，人間有恨事，天亦有之，奈何！若之何也！

行楷

金文

小篆

行書

金文：左邊是個「口」，右邊上半部是「羊」的雙角，下半部的彎豎代表「人」，是「羌」族的意思，「羌族」以牧羊爲生，以「口」吆喝飭令羊群之意，是個會意字。

小篆：上端仍是羊的雙角，中間的框形像是彎腰的人形，「口」放在人體內，其義未變。

楷書：依小篆字形演變而來，雙角變成「艸」頭，下半部乃組「勹、口」為「句」。

苟之簡化字與繁體字相同。

◆古義

《說文》：「苟，自急敕也；從羊省，從勹口，勹口猶慎言也。」「敕」指帝王的命令，亦指「謹慎」，亦通「飭」，命令也，牧羊人以「口」飭令羊行之謂也。故其本義為「飭羊之令」也，「苟」之上端原為雙角，應寫為「苟（音極）」即急也！後人誤從「艸」頭為「苟」，「儀禮、燕禮」：「賓為苟敬。」苟敬者，主人所以小敬也。原應為「苟敬」，後人誤作「艸」頭「苟敬」，以致「苟」有「且、假」之義，「禮記。曲禮」：「不苟笑」，苟者，聊且也，姑且也。亦「誠」也，「論語。里仁」：「苟志於仁矣，無惡也。」假如能誠心向仁，就不會「為非作歹」了，因「姑且」而引申了許多反義字，如「苟且」、「苟同」、「苟安」、「苟免」、「苟活」、「苟得」「苟全性命」等。

◆今意

今之「苟」亦大多用於反義，「禮記。曲禮」：「臨難毋苟免。臨財毋苟得。」小時聽過一則笑話：有一個人死後要轉世投胎，閻王爺問他要轉世作什麼？答以「要做狗，且要作母狗！」閻王爺不解，詢之何然？告以書本上都說「臨難母狗免，臨財母狗得」，所以要轉世當母狗！雖是笑話一則，亦發人深省，不義之財不苟取，不苟得，「義」字當前絕不「苟延殘喘」、「苟且偷生」，要「一絲不苟」也！

「苟」今常用指草率、輕率、如「一絲不苟」即絕不馬虎之謂。

亦常用當副詞「如果」之意，如「苟或有之」。

行楷

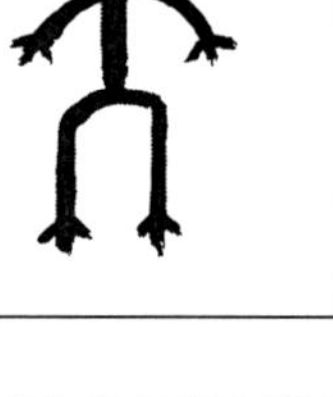

甲骨文

金文

小篆

行書

甲骨文：像樹木花葉下垂的樣子，枝椏近端處都有下垂的花葉，是個象形字。

金文：由甲骨文演變而來，上半部仍是花葉下垂的樣子，下半部出現了「土」形。

小篆：由金文演變而來，下端變成了「土」字。

楷書：由小篆字形演變而來，以橫豎筆畫代表花葉下垂，仍能看出象形的古義。

垂之簡化字與繁體字相同。

◆古義

物之下縋曰「垂」、「縋（音墜）者，從上而下垂掛之義。「詩經。小雅。都人士」：「彼都人士，垂帶而厲。」「厲」者，大帶之垂者，那個京城裡的男士，腰帶下垂有美麗的長結。故知「垂」之本義為「下垂」、「垂掛」之義，「柳宗元、三戒、臨江之麋」：「群犬垂涎，楊尾皆來。」後人常用「垂涎三尺」形容嘴饞、羨慕、渴望等。「垂青」是另眼相看之義。「晉書。阮籍傳」：「籍母喪，嵇喜來吊，籍作白眼，其弟嵇康來吊，籍大悅，青眼視之！」後世以「青眼」、「青睞」、「青盼」、「垂青」形容被人重視，「白眼」則被人輕視。因「垂物」必在邊緣，故引申為「邊垂」，國土邊緣之地，後因「垂」多用於「下垂」，而另以「陲」為「邊陲」。「垂」亦「傳布」也，如「永垂不朽」！「垂垂」是漸漸之義，「貫休詩」：「一缾一缽垂垂老。」

◆今意

古有太后「垂簾聽政」，今之時代不同，即使「聽政」亦不用「垂簾」了。「垂問」、「垂詢」、「垂念」、「垂愛」等都是下對上，或小輩對長輩詢問與關懷的謙詞。「垂危」是瀕臨危險，「垂成」則是快要成功！故「垂」可用於正面，亦可用於負面！「張籍。節婦吟」：「還君明珠雙淚垂，恨不相逢未嫁時！」是傷感！「立德、立功、立言才能名垂千古，吾人不能竟日「垂頭喪氣」，振作才能向上，才能獲人「青睞」！

詩詞中的送別多以柳樹喻之，柳葉是下垂的，亦稱「垂柳」，「清・黃景仁」：垂楊密密拂行裝，「芳草萋萋礙行路」是寫離情的依依不捨。

行楷

甲骨文

金文

小篆

行書

甲骨文：與「即」字稍有不同，左邊仍是一個盛滿食物的器皿，右邊的人仍是身體朝向食物跪著，但頭部卻朝向後方，表示「食畢」，「吃飽了」，是個會意字。

金文：由甲骨文演變而來，「人」與「器皿」都稍變化。

小篆：由金文演變而來，「人」形與「器皿」形都文字化了，看不出其原始本義。

楷書：依小篆字形演變而來。

既之簡化字與繁體字相同。

◆古義

《說文》：「既。小食也。從皀。旡聲。」「小食」是指食物，左邊是「皀」字，右邊是「旡（音計）」字，表聲。本寫成「既」，後通俗寫成「既」。「詩經．大雅。既醉」：「既醉以酒。既飽以德。」喝美酒讓我們醉了，恩德讓我們飽享，故知既之本義為「食畢」、「吃飽」。由「食畢」引申為「盡」、「完」等義。「韓愈，進學解」：「言未既，有笑於列者。」「未既」指未說完也。亦引申為「已經」也。「論語。八佾」：「成事不說，遂事不諫，既往不咎。」已成之事不去說他了，必然成功之事也不必去諫阻他，說了不該說的話，已不能收回，也就不去追究了！「論語，季氏」：「夫如是∶故遠人不服，則修文德以來之；既來之，則安之。」

◆今意

易經六十四卦之最後兩卦是「既濟」卦與「未濟」卦、「既濟」卦是以渡河比喻已渡過危險，但仍要居安思危。「未濟」卦則是尚未安全渡河，比喻前面都是艱難險阻，但要臨危不亂，慎謀以進。故「既」多用於「副詞」，表示「已經」、「既往」、「既然」。「既然」亦是「已經」之意，最常聽到的故事是三國誌中吳國大將周瑜所說的：「既生瑜，何生亮。」老天既然生了我周瑜，又為何要再生一個諸葛亮呢？「既然」亦帶有無奈，如「既然事已至此，就順其自然吧！」

行楷

金文

石文

小篆

行書

金文：上面是一個帽子的形狀，下面是一個「目」，代表眼睛，帽子戴到眼睛的上緣，「冒」是「帽」的本字，是個會意字。

石文：眼睛豎了起來變成了「目」字。

小篆：由石文演變而來，「橫眼」已成「豎目」。

楷書：上部已不具帽形，變成「日」字了。

「冒」被借用為「冒犯」、「冒昧」後，頭上之帽則加「巾」部以為別。

冒之簡化字與繁體字相同。

◆古義

《說文》：「冒，蒙而前，從月、目，以物自蔽而前也。」「蒙」指遮蓋、蒙頭，「月」是帽形，頭上裹著巾布而行，帽子也！故「冒」是「帽」的本字。「冒」因有「遮蓋」、「覆蓋」之義，遂引申為「冒充」、「冒犯」、「冒險」等義。「漢書、衛青傳」：「故青冒姓為衛氏。」冒者，假稱也！「後漢書。袁閎傳」：「冒犯寒露。」冒犯者，衝撞也。「北史。陳元康傳」：「元康冒險求得之。」「冒昧」則指行為魯莽，「六書故」：「冒昧，冢冒直前者也。「冢」音蒙，蒙覆也，不辨明而魯莽行事者也。「冒」被借用後，後人在「冒」旁加「巾」為「帽」專指頭上所戴之「帽」也。「冒」亦為姓氏，如漢匈奴之冒頓，明朝之冒襄等。

◆今意

古時「帽」與「冠」有別，當官的戴「冠」，所謂「冠蓋雲集」。男子二十歲加冠稱「冠禮」，今則凡「冠」皆稱「帽」。古時「冒」通媢，媢者，嫉也；冒亦借為「瑁」，瑁者，古天子所執之玉也，今則已各有所字而不相通用也！「論語。公冶長」：「季文子三思而後行。」季文子是魯國大夫，做事必先思考三遍才會行動，今之年輕人常犯衝動的毛病，遇事常情緒化，不經思考，冒然行事，故鑄大錯，學學季文子吧，肯定有幫助！

大專聯考時，常有人「冒名頂替」幫人代考，稱為「槍手」，古有之，今亦有之。

行楷

甲骨文

金文

小篆

行書

甲骨文：上端是一塊祭祀用的肉，下面是放置祭祀物品的禮器枱子，是個指事字，亦是個會意字。

金文：變成兩塊肉放在祭祀禮器枱上，此時完全變成會意字。

小篆：兩塊肉移到祭祀枱子的左邊，枱內用兩橫把空間畫分為三層，由圖形轉換為字形。

楷書：由小篆筆法轉換而來。

俎之簡化字與繁體字相同。

◆古義

《說文》：「俎在且部。禮俎也。從半，肉在且旁，指事，亦會意，非從人。」故知「俎」乃「且」部，非「人」部，甲骨文時期是「指事」字，金文時期為「會意」字。「俎者，祭享時載牲之禮器也。古時天神稱祀，地祇稱祭，宗廟稱享，後世「祭」與「祀」并用成為祀天神、地祇、人鬼之通稱。「詩經。小雅。楚茨」：「為俎孔碩（音實），或燔或炙。」放在禮器中的牛羊祭品極為肥大，有燒的、有烤的。「俎」既為放肉之物，遂引申為「椹（音珍）板」，即切肉時墊在底下之木板。「史記。項羽本紀」：「如今人方為刀俎，我為魚肉。」俎者，椹板也。肉在椹板上，任人宰割也。「晉書。孔坦傳」：「今猶俎上肉，任人膾截耳。」

◆今意

古時祭祀時，盛裝牲物的禮器，有虞氏稱「梡（音款）」，夏后氏稱「嶡（音貴）」，殷稱「椇（音矩）」，周以後稱「俎」，是四個腳的方形桌子，像現在的方形茶几，可以放上大塊的牛羊肉，現在斯文多了，用碗盤裝之即可，故「俎」在現今祭祀或拜拜中已不常用。古之「椹板」至今已俗稱「砧板」，古為放肉的禮器，今為放肉菜食物等的墊子，只待刀來、任人宰之，故人應積德行善，莫為他人「俎上肉」也！

行楷

甲骨文

金文

小篆

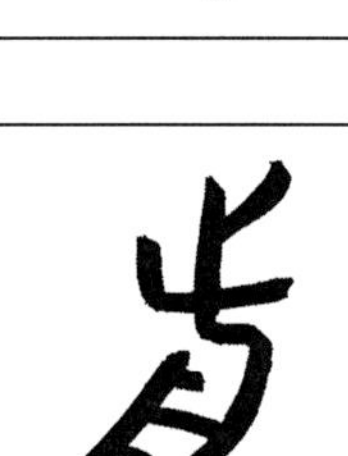

行書

甲骨文：上端是一隻腳趾的形狀，下半部是一條舟（船）形，腳站在船上不動，而身體卻能往前移動，表示前進之義，是個會意字。

金文：由甲骨文演變而來，腳趾形變成「止」字，「舟」形加了一橫，變得更像「舟」了。

小篆：由金文演變而來，「舟」更具其形。

楷書：「止」由小篆之字形轉換而來，「舟」形變成「月」字，右再加「刀」旁成「前」，前是「剪」的本字。

前之簡化字與繁體字相同。

◆古義

前的古文為「歬」，一如甲骨文之原義「從止在舟止」，不行而進之謂也。「莊子」：「坐而至越者，舟也。」坐在船上不動，便能到達越地也。故知其本義為「前進」也！「史記。灌夫傳」：「願從者數十人，及出壁門，莫敢前。」願意跟從的有數十人，等到出了軍營大門，沒有一個敢「前進」的。「前」亦後之反義詞。「論語。子罕」：「瞻之在前，忽焉在後。」孔夫子之道，看似在前，忽而又在後。此「前」指空間；「史記。蘇秦傳」：蘇秦笑謂其嫂曰：「何前倨而後恭也。」此「前」指時間。「前」是「翦」的本字，通「翦」，「齊斷」之義，後人在「前」字下再加一「刀」為「剪」，雙刀才能剪斷之謂，此後「前」即專用於「前進」、「前後」等義之用。

◆今意

用於動詞時指「前進」、「進行」、「行動」等，用於形容詞時則指依時序為準的先來後到，早先的稱「前」，如「前人」、「前任」、「前夫」、「前漢」、「前塵往事」等，文體中的「前言」、「前提」，佛語中的「前因後果」、「前世今生」，未來的景況為「前景」、「前途」、「前程」等。今人更常引用。「史記。秦始皇紀」：「前事之不忘，後事之師也。」亦即前車之鑑也，「宋。范仲淹」詩：「一派青山景色幽，前人田地後人收，後人收得休歡喜，還有收人在後頭。」很啓人深思！

行楷

金文

小篆

行書

金文：上部是個胃囊的形狀，囊內有四個小點，表示胃中的米飯，下半部是「肉」形，表示「胃」屬於肉類，是個象形兼會意的字。

小篆：胃囊變成了方形，「肉」部是小篆的寫法。

楷書：由小篆演變而來，胃囊變成「田」字。

胃之簡化字與繁體字相同。

◆古義

《說文》：「胃，穀府也，從𡇒，從肉，象形。」穀者，禾本糧食的總稱，「穀府」者為容納食物的府庫也。「史記。天官書」：「胃為天倉。」胃主倉稟五穀之府也。「白虎通」：「胃者，脾之府穀之委。」故知胃是接納食物並使之消化的器官。胃形如囊，左邊大、右邊小，與食道相連者為「賁門」，與小腸連結處為幽門，胃壁分外、中、內三層，食物入胃後，由內層胃腺分泌胃液消化之。如胃壁黏膜破損，胃酸分泌過多，燒灼傷口引起疼痛稱「胃癰」，俗稱「胃潰瘍」。剛吃過食物又立即感覺飢餓的病症稱「胃疸」或「胃疸」。因暴飲食所引起的急、慢性發炎症狀稱「胃炎」。胃中食物不消化，醱酵所生之氣體稱「胃風」，打嗝而出，異味甚濃。「胃宿」亦是星名，為二十八宿之一，屬白羊座。

◆今意

民以食為天，所有吃的東西都要進到胃裏消化，胃納量是有限的，胃雖不能拒絕任何食物，但如超過負荷，是會反彈的，諸如「胃炎」，「胃潰瘍」、「胃痙攣」、「胃擴張」、「胃下垂」、「胃穿孔」等病症都會報到，有人稱胃病是富貴病，也許現代人吃得太多，吃得太好，「十人九胃病」，故亦稱「現代病」，語云：「能吃就是福。」但「胃口」太好可能非福乃禍，就算胃受得了，也會變成大胖子！慎之！

「胃口」是指食慾，「胃口大」除指吃得多外，還用以形容對慾望的無度，吃撐了會爆的。

行楷

陶文

小篆

行書

陶文：左邊是一把大彎弓，表形，右邊是個「巠」字，表聲，大弓射箭，其力道極爲強勁也，是個形聲字。

小篆：左邊的弓形移到了右邊，且變成了「力」字，更表示強而有力的勁道。

楷書：由小篆筆法直接轉換而來。古義仍存。

簡化字：依草書之筆法簡化而來。

◆古義

《說文》：「勁，強也，從力，巠聲。」即「強勁」、「堅遒（音球）」、「遒勁」等義也。語云：「疾風知勁草，板蕩識忠臣。」「後漢書。王霸傳」：光武謂霸曰：「潁川從我者皆逝，而子獨留，努力！疾風知勁草。」經過強風吹襲，才知何草強勁不斷！比喻歷經艱困而志節不變也。「板」、「蕩」是詩經大雅中的二篇，乃諷刺周厲王無道的詩，後則形容政局混亂，社會動蕩為「板蕩」，而是否為「忠臣」？此時可見也！「勁」亦「疆」也，「疆（音強）」即強也，「弓」內加「土」是「疆（音江）」，指國之「疆土」、「疆界」也。「國策。宋策」：「夫梁兵勁而權重。」勢力強大的敵人稱「勁敵」，驍勇善戰的軍隊稱「勁旅」。不畏杖勢，堅強而正直之人稱「勁士」。另廣東惠州、潮州、嘉應等三地稱「美」曰勁。

◆今意

「勁」之本義為「強」至今未變，且更擴大引申運用，不論其力道是否有形或無形，用「勁」字便很傳神。譬如現今口語說的「有力、沒力」，如說成「有勁兒」、「沒勁兒」，那就傳神得多！廣東客家語中對美女或面目姣好的女子稱「靚（音勁）女」，對年輕或比自己小的女子稱「靚妹」，這比早期用「勁女」要傳神貼切得多！我常鼓勵我的孩子，你的努力不夠，還要加把勁兒！」這種說法好像柔和些！

「唐。王維。觀獵」：「風勁角弓鳴，將軍獵渭城。」北國的風是強勁的，但比之台灣新竹的風，恐稍遜色也！

行楷

甲骨文

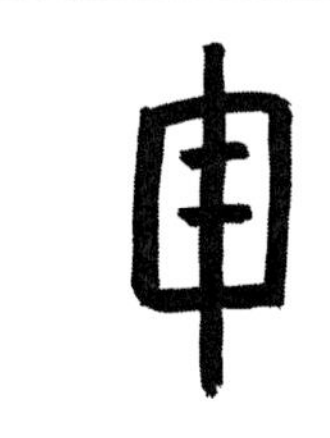

金文

小篆

行書

甲骨文：是一個直式長方形的「盾牌」，中間的豎線是「把手」，便於執用，是古代打仗時用以護身的，質材有藤、皮革及金屬片等，是個象形字。

金文：由長方形變成正方形，中間的小方塊亦指把手。

小篆：下方變成了「目」字，除了保護身體之外，還用以保護眼睛之義。

楷書：由小篆之筆法轉換而來。

盾之簡化字與繁體字相同。

◆古義

《說文》：「盾，瞂也，所以扞身蔽目。」「瞂（音發）」即「盾」也，用以護身掩眼也。「盾亦用於保護車身，「詩經。秦風。小戎」：「龍盾之合。」畫上龍的盾牌放在車身的兩旁，以保護車內的人。故知「盾」之本義為「護身盾牌」。「盾」乃防「矛」攻擊之「牌」也。「韓非子。難勢」：「楚人譽其盾之堅曰：物莫能陷也。又譽其矛之利曰：物無不陷也。或曰：以子之矛陷子之盾，何如？其人弗能應，此矛盾之說也！」「盾」亦「遯（音遁）」也，躲避、逃避、隱遁也。「盾」古亦與「楯」通，「楯」（音吮）」乃闌干的橫木，或兩木相連的「卡楯」，因其有阻擋作用，故與「盾」通。

◆今意

今者「盾」「楯」已不相通，「遯世」亦多用「遁世」，而防身之物亦以「防彈衣」代替了「盾」，故「盾」這個東西現已成為「古物」了，或許在非洲等未開發的原始部落還能看到「矛」與「盾」的武器，在開發中國家，只有在博物館裡可以看到了！而形容同一個人的言論或行為前後不一，自相抵觸者，常用「矛盾」一詞表之，或指雙方衝突、相互排斥，或指夫妻、朋友之間發生問題，產生矛盾等，「矛盾」也可說有問題也！

行楷

甲骨文

金文

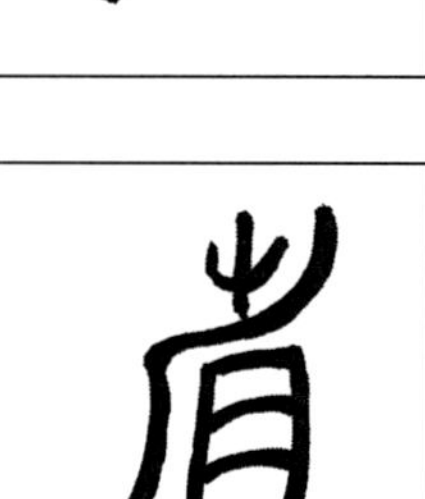
小篆

行書

甲骨文：一隻大眼睛，眼睛上面是個「屮（音徹）字，表示剛剛發芽的草木，用眼察看這初生的草木，是個會意字。

金文：眼睛與甲骨文有異，其義則同也。

小篆：眼睛變成了「目」，嫩草變成長在坡地上。

楷書：由小篆字形演變而來，從少從目，義謂眼睛少看即省事也。省之簡化字與繁體字相同。

◆古義

《說文》：「省，視也。」「爾雅釋詁」：「省，察也。」「史記。秦始皇本紀」：「皇帝春遊，覽省遠方。」秦始皇春日出遊，到遠方「視察」。「詩經。大雅。皇矣」：「帝省其山，柞棫斯拔。」上帝視察岐山，柞樹和棫樹都已拔除。故知「省」之本義為「視察」、「察看」。「省」亦「簡」也、「少」也。「左傳。僖公二十一年」：「貶食省用。」減少食物，節約用度也。「省」古與「眚」通，「左傳」、「穀梁傳」皆作「眚」。「省（音醒）」指「反省」、「內省」。「論語，學而」：「吾日三省吾身。」每天要自省三件事情。每日早晚向父母等長輩請安稱「晨昏定省」，回家探視父母等長輩稱「省親」。清明節或其他特定節日，祭掃祖先的墳墓稱「省墓」。

◆今意

「省」與「眚」至今已不通用，今「眚」乃指眼生障膜，或指「弊端」、「過失」、「災禍」等。其餘「省」義變化不大，現在縣級以上的行政地區稱「省」，「省」亦有「免得」之義，如「今天不出門了，省得花錢！」「省油的燈」是指安分守己的人，常用於反喻，如「他一肚子壞水，不是個省油的燈！」在「反省」一詞上，現代人對「省思」、「省悟」的工夫下的太少！對「晨昏定省」、「省親」做得太少！對「省儉」、「省錢」之舉更不為也！實需「內省」也！

行楷

甲骨文

金文

小篆

行書

甲骨文：眼睛上面的毛，即眉毛也，統稱「眉」，畫眼方知有「眉」，是個象形字。

金文：眼睛上有三根毛及彎彎的眉形，更能辨認不是眼睫毛，而是眉毛。

小篆：眼睛變成「目」字，目上變成長長的壽眉。

楷書：由小篆字形演變而來，「目」上有眉形，亦有根長長的壽眉。

眉之簡化字與繁體字相同。

◆古義

《說文》：「眉，目上毛也。」眼睛上長出的眉毛，統稱「眉」也。「春秋。元命危」：「人有兩眉，眉長二寸。」眉毛與睫毛相離甚近，故有「迫在眉睫」、「眉睫之禍」之喻。「韓非子。用人」：「不去眉睫之禍。」不先去除眼前的災禍。又健康高壽曰「眉壽」。「詩經。幽風。七月」：「為此春酒，以介眉壽。」釀造這些春酒，以求得長壽。又井邊地曰「眉」，指旁邊、側邊，「前漢。游俠傳」：「居井之眉。」「眉」亦通「嵋」，峨嵋山在四川峨眉縣西南百里，兩山相對如蛾眉，故名。魏時設「眉州」亦因峨嵋山得名。「眉」亦與「麋」通，「荀子。非相篇」：「伊尹之狀，面無須麋。」伊尹的樣子，臉上沒有鬍鬚和眉毛。

◆今意

「眉」之所指，千古未變，只今不與「麋」通，「麋」乃專指「麋鹿」也。現在沒有眉毛或眉毛稀疏而淡者，流行「紋眉」，尤今美容風盛，「眉」只佔極小部分，但也極其重要。很多老人會長出幾根長長的眉毛，是健康長壽的象徵，俗稱「壽眉」，稱讚老年人高壽叫「眉壽」！「孔子愀然揚眉！」眉可表達喜樂，高興之時，眉尾上翹，「喜上眉梢」也！我最喜歡讀書時，在書頁上端作「眉批」，那有「事半功倍」之效！

「畫眉之樂」是指閨房之樂「唐。朱慶餘。閨意」：「妝罷低聲問夫婿，畫眉深淺入時無？」

行楷

金文

小篆

行書

金文：頂上有三個火苗，焰火正旺，火苗下是裝油或燃料的器皿，下部是個「土」形燈座，亦有光明照亮土地之義，是個象形字。

小篆：秦始皇改爲「自」「王」，從自己開始稱王也。《說文》：「本從自始也。」後簡化爲「白」。

楷書：由小篆演變而來，「自」簡化為「白」，有金文「光明」、「明亮」之義。

皇之簡化字與繁體字相同。

◆古義

《說文》：「皇。大也。」「詩經。大雅。文王有聲」：「皇王維辟，皇王烝哉！」偉大的武王澤被四方，是萬民的榜樣，偉大的武王是個好君王。「皇」之本義為「光亮」，其光照亮大地，故「大」也，亦「美」也。「詩經。大雅。假樂」：「穆穆皇皇，宜君宜王。」您恭敬有禮，光明美盛，適宜稱君稱王。伏羲、神農、黃帝稱三皇。「尚書。序疏」：「稱皇者，以皇是美大之名，言大於帝也。」「皇」亦有「匡正」之義。「詩經。幽風。破斧」：「用公東征，四國是皇。」周公東征，匡正了天下。「禮記。曲禮」：「祭王父曰皇祖考，王母曰皇祖妣，父曰皇考，母曰皇妣」。「皇」亦通「惶」，心神不定也！亦通「遑」，急迫不安也！

◆今意

「皇」是封建時代的產物，今人若被人稱「皇」則多含貶義，自己在家裡把門關起來當戶長，過太上皇之癮者或者有之，但「皇」之一字在現代用語中已極少用。「皇」亦不與「惶」通，一般寫法均如「人心惶惶」、「惶惶不可終日」等，亦不與「遑」通，如「栖栖遑遑」。「皇親國戚」用在當下，亦有貶義。祭祀天地神祇時，仍可見到「皇天后土」字樣，但這個代年已經徹底的跟「皇帝」、「皇后」說拜拜了！

古時京城稱「皇都」，今稱「首都」。

行楷

甲骨文

金文

小篆

行書

甲骨文：下半部是一個人，人的頭上戴著羽毛之類的裝飾品，顯得好看。是個象形字。

金文：由甲骨文演變而來，人形變小了，裝飾品卻變多了，似乎要裝扮得更美。

小篆：由金文的筆法演變而來。

楷書：由小篆的筆法轉換而來，頂端變成「羊」字。

美之簡化字與繁體字相同。

◆古義

《說文》：「美，甘也，從羊從大，羊在六畜主給膳也，美與善同意。」古時羊大則美，故將人形寫成「大」。「美」之本義為「美麗」。「詩經。鄘風，桑中」：「云誰之思？美孟姜矣。」「孟」是排行老大，「姜」是姓，我在思念著誰呢？是美麗的姜家大小姐啊！好的衣服食物亦稱「美」。「東周列國志」：「所謂君者，受尊號、享榮名、美衣玉食。」好的言語亦稱「美」，如請人代為說好話謂「美言幾句」。但「老子」則有「信言不美。美言不信。」之論，蓋詞藻華美，花言巧語則多不真實也！「美」亦「讚美」、「稱讚」。「禮記。檀弓下」：「晉献文字成室，晉大夫發焉。張老曰：美哉輪焉！美哉奐焉！」「輪」乃盤旋而上，「奐」者，眾多也，「美輪美奐」乃讚美高大華美之新屋也！

◆今意

「美」是「美麗」，今稱「漂亮」，愛美乃人之天性，如被人說「醜」，肯定會吵架！所以看見年輕女性，稱呼一聲美女準沒錯！但「美女」與「淑女」卻不盡相同，「美女」端指外表，「淑女」則貌美心更美也！有些人自以為美或自鳴得意，那叫「臭美」，「美人」怕「遲暮」，臉上一旦留下歲月的劇痕，就想盡辦法去「美容」！一般賀人高壽，我們都說「美意延年」，其實只要每日心情舒暢，樂觀進取，自能延年益壽也！

我很喜歡「清。袁枚。寒夜」：「美人含怒奪燈去，問郎知是幾更天。」專心讀可取，但也別冷落了閨中人啦！

行楷

甲骨文

金文

小篆

行書

甲骨文：左邊是一個階梯，代表高山，右邊是上下兩隻腳，腳趾朝上，腳跟在下，往上攀登之義，是個會意字。

金文：由甲骨文演變而來，腳趾變得像「止」字。

小篆：由象形轉變為字形，下趾變成「少」字形。

楷書：由小篆字形轉換而來。以「步」登山，仍有古義。

陟之簡化字與繁體字相同。

◆古義

《說文》：「陟（音至），登也。」攀登、登高之謂。「詩經。周南。卷耳」：「陟彼高岡，我馬玄黃。」「玄黃」是馬生病的毛色，我登上高高的山岡，馬兒卻累出病了。「尚書。舜典」：「汝陟帝位。」登上帝位也，故知陟之本義為「登」，引申為「升」、「進」之義。「爾雅釋詁」：「陟。陞也。」「玉篇」：「陟。同升。」「尚書。舜典」：「三載考績，三考黜陟幽明。」幽明是指善與惡、好與壞，經過三次考績，以黜退其幽者，升進其明者也。亦引申為「高」。「爾雅。釋山」：「山三襲，陟。」襲者，重疊也，三座山重疊謂之陟。「陟岵（音護）」是比喻思念父親，「陟屺（音起）」是比喻思念母親。「詩經。魏風。陟岵」：「陟彼岵兮，瞻望父兮」、「陟彼屺兮，瞻望母兮。」岵與屺均為草盛之山，登上山頂，遙望思念我的父母親，故「陟岵陟屺」比喻在外遊子思親之情也！

◆今意

「陟」經常出現在文言文裡，今之白話文很少用到，但在引用典故或成語時，亦會應用文內，以增其意，如「對父母有陟岵陟屺之思！」建議長官應用人惟才，提拔俊傑，進用賢良，可用「陟罰臧否」，臧是指優秀的，否是指壞的，不適任的。有些長官常怕部屬才能勝過自己，往往棄而不用，此非國家之福，這世上懷才，不遇者甚多，姜太公八十始遇文王，當人長官，又是伯樂能識千里馬，而又有拔擢人才之胸襟者幾希！

行楷

甲骨文

金文

小篆

行書

甲骨文：上端是樓閣的斜頂，中間是代表一層層的樓，下部是厚實的基礎，中間有一個「口」，表示進出的門，是個會意字。

金文：與甲骨文寫法幾乎相同。

小篆：由圖形轉為文字的筆法。

楷書：由小篆筆法轉換而來。

高之簡化字與繁體字相同。

◆古義

《說文》：「高，崇也，像台觀高之形。」崇者，高大也。「詩經。大雅。崧高」：「崧高維嶽，駿極于天。」「崧」同「嵩」，「嶽」是極高之大山，此處指東嶽泰山，西嶽華山，南嶽衡山，北嶽恆山等四嶽，「駿」通「峻」，最高的山是那四嶽，它高峻得直插於天。「詩經。小雅。車舝（音轄）」：「高山仰止，景行行止。」「止」即之也，「景行」是「大路」。高山仰之，大路行之也。後「景行」多用於「崇高的德行」及「景仰其行」。故知「高」之本義為「大」，引申為年高、德高、位尊，如「年高德劭」，年紀高德行厚也。「詩經。小雅。十月之交」：「高岸為谷，深谷為陵。」高高的河岸下陷變成深谷，深深的山谷隆起變成山陵，是指大自然的變動、滄海桑田，後用喻世事變化無常。

◆今意

「高」之古義至今未變，「高足」是指學有所成，能承傳師業的門生。「高雅」是高尚而又雅致。「高軒」是對別人坐車的尊稱，現已少用，「高枕無憂」是可安睡而無憂慮也，諸葛亮隆中「高臥」是高枕而臥，安閒至極貌。「高利貸」、「高帽子」、「高跟鞋」、「高歌一曲」、「高等教育」、「高等法院」、「高不成低不就」等，都是現代常用的語詞。「高」的對義詞是「低」、「矮」，四川有一句俚語很傳神易懂：「高矮不從」！怎麼說都說不通，不接受之謂也！

行楷

甲骨文

金文

小篆

行書

甲骨文：右邊是個「酉」字，是指酒瓶（罈），左邊的三小直點表示從瓶中溢出的酒，釀造之酒已發酵完成，溢於外也，是個會意字。

金文：以「酉」代「酒」，酒瓶上有花紋裝飾。

小篆：甲骨文中溢出的酒滴變成了「水」旁，右邊的酒瓶字形化了。

楷書：由小篆字形演變而來。

酒之簡化字與繁體字相同。

◆古義

「釋名」：「酒。酉也，釀之米麴酉澤，久而味美也。」「酉」乃「酒」之本字，將五穀雜糧蒸熟後，適溫與麴攪拌存甕，俟發酵後即為「酒」，酒之釀造，起源甚早。《說文》：「古者儀狄作酒醪，禹嘗之而美。」「醪（音勞）是未經過濾，汁與滓相混之酒也。然「正字通」：「本草有酒名，素問有酒漿，非自儀狄始也。」因酒之歷史悠久，發明者已不可確考也！「周禮。天官。酒正」：「辨三酒之物，一曰事酒，二曰昔酒，三曰清酒。」有事時喝的酒稱「事酒」，如「喜酒」、「壽酒」等，無事而閒飲者稱「昔酒」，祭祀時所飲之酒稱「清酒」。周朝時，掌管製酒之官稱「酒人」，飲酒時聽令行事稱「酒令」，唐朝大詩人李白有「酒仙」的雅號，「酒糟」是釀酒所剩之渣滓，南方人喜以之烹調雞、鴨、魚肉等，味極美也！

◆今意

「酒」的歷史已有數千年，古時是好飲者的專利，今則已走入每個家庭，成為烹飪的必需品。酒中含有「乙醇」，因酒之種類而有高低，飲後可禦寒，亦能使人精神亢奮，長期過量飲用會導致肝質病變，不得不慎！好飲者常謂：「酒後文思泉湧，下筆如有神助，字如龍飛鳳舞！」恐係藉詞！「酒仙」李白。月下獨酌：「天若不愛酒，酒星不在天，…但得酒中趣，勿為醒者傳。」是愛喝上一杯者傳吟不厭的！

「酒逢知己千杯少，話不投機半句多」是我們對知己者的珍惜，四川人喜歡說：「要想身體好，全靠酒來保。」是貪杯的說詞。

行楷

甲骨文

金文

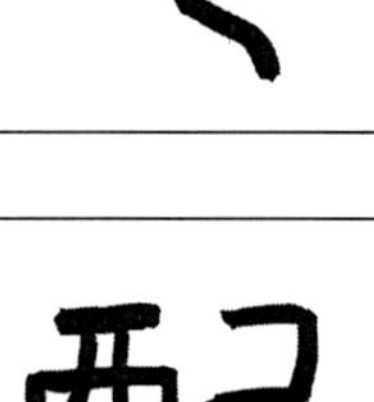

小篆

行書

甲骨文：左邊是個「酉」字，是酒瓶（罈），瓶上有三個小點，指從酒瓶中冒出的香氣，右邊是一個面朝酒瓶跪坐的人，正在調配酒料，調配酒的顏色，是個會意字。

金文：由甲骨文演變而來，去掉了「三點」的酒香氣，增加了瓶上的花紋。

小篆：瓶上花紋簡單而有美感，人形亦「字形」化了。

楷書：由小篆字形演變而來。

配之簡化字與繁體字相同。

◆古義

《說文》：「配，酒色也。」調配酒的佐料及顏色也。「玉篇」：「配、匹也、媲也、對也、當也、合也。」寥寥數字，已道盡「配」義。「匹」者，「配」也、「合也」、「匹配」也，夫婦相匹耦云「配」，故稱妻曰「配」，如「元配」、「繼配」。「媲」即「配」也，「媲美」指同樣美好，「當」亦「配」也，不相當曰「不配」。引申為「分配」、「分發」之義。「舊唐書。，文帝紀」：「散配鄉村。」命令廣發至各鄉村之謂。古時押解被判流徙之罪犯，應至之地曰「配所」，「起解」曰「發配」，「解到」曰「到配」。亦引申為陪襯、配角。「易經。豫卦」：「殷薦之上帝，以配祖考。」豐盛的祭品供奉上帝，亦同時祭祀祖先。「配角」多指戲劇中陪襯的角色。

◆今意

「配」之本義為「調配酒色」，現在調酒仍是一門學問，如好的「鷄尾酒」需要有好的「調酒師」才能調出。現有專門品酒的「品酒師」，這些都已進入專業領域，一般百姓自製自飲的酒已屬少見。現在網絡發達，購物方便，常一通電話就可「配送」到家。想到「發配邊疆」，就會想起「十七字」詩的其中一首：「發配到遼陽，見舅如見娘，二人齊流淚，三行！」發配之時，只有舅舅來送行，舅舅眼瞎了一隻，逗趣詩也！

醫藥上對各種不同的藥物加以調處稱「配方」，如果「配當」不宜，後果不堪設想。

行楷

甲骨文

金文

小篆

行書

甲骨文：上半部是「隹（音追）形」，隹是鳥，鳥下有一隻手形，表示用手逮住了一隻鳥，

是象形的圖案，但卻是個會意字。

金文：與甲骨文極為相似，其義亦同。

小篆：由金文演變而來，以手捉鳥之義未變。

楷書：由小篆筆法演變而來。

簡字：是楷書的簡寫，亦用於簡化字。

◆古義

《說文》：「隻，鳥一枚也，從又持隹，持一隹曰隻，持二隹曰雙。」「枚」者，「個」也，如「枚舉」即一個一個的舉出來，手持一枚即一個、一隻也。「宋史・張洎傳」：「自天寶兵興之後，四方多故，肅宗而下，咸隻日臨朝，雙日不坐。」自唐肅宗李京以下，都是單日上朝，雙日不坐朝問政之謂也。故知「隻」之本義為「一個」，引申為「單」及「單數」。「韓愈，祭十二郎文：「承先人後者，在孫惟汝，在子惟吾，而世一身，形單影隻。」「形」指「軀體」，孤單一人，其影必「隻」也。「傳燈錄」：「達摩葬熊耳山，宋雲使西域回，遇師蔥嶺，見手攜隻履，雲問師何往？師曰：「西天去。」雲具白上，上令起棺，惟一革履存焉。」此乃佛教達摩祖師「隻履西歸」的故事。

◆今意

「隻」之本義至今未變，「隻」是「單」，故「隻日」就是「單日」，古唐肅宗李京有「單日」始上朝問政，近代有八二三金門砲戰「單打雙不打」之默契。「單」亦指「獨」，如「獨具隻眼」，即「獨具慧眼」，亦指「孤獨」，如「隻立」即孤獨站立。一句話都沒說叫「隻語未言」，一個字都沒說叫「隻字未提」。「隻輪不返」是指「全軍覆沒」，語出公羊傳・僖公三十三年：「秦師匹馬隻輪無返者。」大軍出征，沒有一匹馬、一個輪子返回來，現形容慘敗亦可用之！

行楷

金文

小篆

行書

金文：是一種像熊又似鹿的獸類，左上方是頭部及大耳，左下是張大的嘴巴，右上是臀部翹起的尾巴，右下的兩條腿是像鹿的足形，是個像形字。

小篆：由金文演變而來，變成頭在上，臀與足在下的直立之形。

楷書：由小篆演變而來，字形分成左右兩部，右邊的雙足變兩個「匕」字。

能之簡化字與繁體字相同。

◆古義

《說文》：「能，熊屬，足似鹿，能獸堅中，故稱賢能，而強壯者稱能傑也。堅中者，骨骼結實，強於他獸之謂。「國語。晉語」：「今夢黃能入於寢門。」今天夢到一隻黃能進入寢室的門，可見「能」是黃顏色的。故知「能」之本義是「熊屬的獸類」。因「能」乃獸中之強者，轉借為「善」、「勝任」之義，後人遂在「能」下加四點為「熊」字。「詩經。大雅。民勞」：「柔遠能邇，以定我王。」懷柔安撫遠國，親善鄰國，以安定周王。由善引申為「賢」，有善行者也，「論語。學而」：「賢賢易色。」以好色之心來愛好賢者。亦有「得」、「乃」、「而」、「有」等義。亦通「耐」，其讀音為「奈」。「前漢。晁錯傳」：「胡貉之人性能寒，揚粵之人性能暑。」北方人耐寒，南方人耐暑之謂。

◆今意

「禮運大同篇」：「選賢與能，講信修睦。」多才而有善行謂之「賢」，有道藝者謂之能，道藝即六藝。兩者都具備稱「賢能」，幾近完人矣！「詩經。小雅。賓之初筵」：「各奏爾能。」是各自展現射藝。通六藝者未必有善行，多才而有善行者未必精通六藝，故譽賢與能兼備之人已近完人。現代人的標準降低，條件寬鬆，對不怎麼樣的人也稱賢能，尤其選舉期間動輒高喊「選賢與能」，孰不知已重貶「賢」與「能」之至義也！

我喜歡「唐。李白。夢遊天姥吟留別」：「安能傕眉折腰事權貴，使我不得開心顏。」不為五斗米折腰也！

行楷

甲骨文

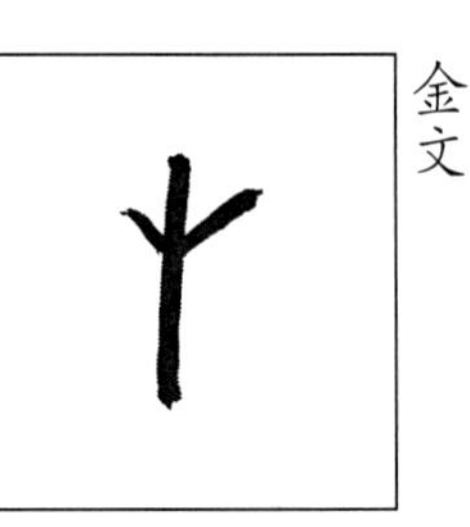
金文

小篆

行書

甲骨文：像春天來時，小草發出嫩芽剛長出來的樣子，是個象形字。

金文：與甲骨文形體相同。

小篆：變成兩棵併排的形狀。

楷書：上半部是「草」形，下半部是「早」，取其聲，此時變成了形聲字。

草之簡化字與繁體字相同。

◆古義

《說文》：「草，作艸，百卉也。」「卉」者，百草之總稱也，「詩經。小雅。何草不黃」：「何草不黃？何日不行？」什麼樣的草會不枯黃呢？那一天會不忙碌呢？「草」是極為普遍的植物，滿地皆是，故引申為「粗糙」，「史記。陳丞相世家」：「更以惡草具進楚使。」即用粗糙的食物給楚國的使者吃，因「草」漫生於田野間，故稱「草莽」為田野，「孟子。萬章」：在野曰草莽之臣。草為極細小的植物，故「風吹草偃」、「偃」者，伏也，「論語。顏淵」：孔子對曰：「君子之德，風；小人之德，草；草上之風必偃。」「草草」是指「勞心」，「詩經。小雅。巷伯」：「驕人好好，勞人草草。」「驕人」指「誹謗者」，「勞人」指「被誹謗者」，謗人者得意洋洋，被謗者勞心苦惱！「辛棄疾。永遇樂」：「元嘉草草，封狼居胥。」中之「草草」係苟且隨便，草草了事之謂！

◆今意

「草」自古至今，其字形變化不大，其義則始終如一，「草芙蓉」是「蓮」的別名，「木芙蓉」是「木蓮」的別稱。「文章」的初稿稱「草稿」，計畫中而尚未定案的稿件稱「草案」，以前窮苦人家穿的是「草鞋」，現在生活條件好了，草鞋幾已進入歷史！古之「草船」是以草所紮之船，用以運送瘟疫者為水祭也，諸葛亮之「草船借箭」，係以草所紮之人置於船上，兩者不同也！而今「草船」亦已成為歷史名詞矣！

「草芥」是指輕賤。「孟子。離婁」：「君之視臣如草芥，則臣視君如冠讎」。今之上位者，宜深省之。

行楷

甲骨文

金文

小篆

行書

甲骨文：由三根骨頭組成，每根骨頭的兩端都有突出的豎節，代表動物體內支撐身體的骨頭，是個象形字。

古璽文：上端縱橫共四根骨頭，像是支撐身體的骨架，下端是個「肉」，表示骨頭是用肉包住的。

小篆：由古璽文演變而來。

楷書：由小篆形體演變而來。

骨之簡化字與繁體字相同。

◆古義

《說文》：「骨、肉之覈也。」「覈（音何）」通「核」，果物有核如肉中有骨也。骨為體幹，亦即支撐身體的架子。動物、植物有體幹，文章亦有，「文心雕龍、風骨」：「沈吟鋪辭，莫先於骨。」文章要寫得好，需先考慮文骨架構。「字」亦要有「骨」有「筋」，「宋范仲淹。祭石曼卿文」：「曼卿之筆，顏筋柳骨。」「顏」指唐代書法家「顏真卿」，其字中有筋，所書「祭侄文」被稱為「天下行書第二」，王羲之「蘭亭序」第一，蘇東坡「寒食帖」第三。「骨氣」除指個性剛強不屈外，亦指書法遒勁有力，爽爽有神。「骨董」是年代久遠的「古器」，原為方言，今亦稱「古董」。「唐。杜甫詩」：「朱門酒肉臭，路有凍死骨；榮枯咫尺異，惆悵難再述。」指貧富懸殊，窮人飢餓凍死路邊的慘狀也！

◆今意

詩人李白在餞別其叔李雲的詩中有「蓬萊文章建安骨，中間小謝又清發。」句，譽其叔之文章有漢獻帝年間，曹操父子與建安七子的文章風骨，而現代人的文章裡已極少見到了，即如書法亦復如此，現在有人講「骨氣」就專指個性、不屈不撓，有時用於不當之處亦稱有「骨氣」，而不知其亦用於書法中運筆的蒼勁有力，忽而沉穩內斂，忽而怒猊渴驥，如得「骨中之趣」，人品自高也！

人的關節韌帶經長期磨損後，會導致骨與骨碰撞而疼痛，現代醫學使用人造「骨泥」填充其間，可行動自如。亦用於鑲牙補齒等處。

行楷

甲骨文

金文

小篆

行書

甲骨文：左右兩邊是面對面，相對而坐的兩個人，中間放了一個裝滿食物的器皿，兩人正在飲用食物，是個會意字。

金文：與甲骨文相似，中間食器的形狀稍有不同。

小篆：由金文演變而來，兩邊對坐的人形變得像對站，中間的食器又變了樣。

楷書：由小篆字形演變而來，古意已全然不見。

卿之簡化字與繁體字相同。

◆古義

「卿」是「饗」的本字，在甲骨文中，「卿」、「鄉」、「饗」三字寫法均相同。《說文》：「饗，鄉人飲酒也。」亦即設盛禮以飲賓也。「詩經。小雅。彤弓」：「鐘鼓既設，一朝饗之。」饗者，大宴賓客也，鐘和鼓都已架設好了，一上午都在大宴賓客。故知「卿」之本義為「宴客」，「卿」被後人借用為官名之後，「卿」之本義即完全被「饗」字取代。三代時，以「卿」、「大夫」及「士」為官之等級，秦、漢均設九卿之職，但稱謂稍有不同，君呼臣均稱卿，隋、唐以後，同輩間對較己位卑或年輕者，亦稱「卿」，夫對妻亦稱「卿」，男對女亦可稱「卿」，「唐。羅隱，贈妓雲英」：「我未成名卿未嫁，可能俱是不如人。」「卿卿」是男女表達愛意的稱呼。

◆今意

「卿」之本義在古時即已消失，其作為官名的用法在現代亦不復存，但男對女稱「卿」則仍常見之，故「卿」之一字在現代常用於男女之間，尤以表達相互愛慕、親暱的「卿卿我我」、「卿」是指對方，「我」指自己。「明。馮小青。怨」：「瘦影自臨清水照，卿須憐我我憐卿。」道盡無人相憐，只有顧影自憐的幽怨。對自己喜歡的人才稱「卿」，不論是古代的上對下，或今之男對女，甚或女對男亦可稱「卿」，故「卿」是一個正面的、喜歡的、愛憐的字，有助於兩者的互動！

行楷

甲骨文

金文

小篆

行書

甲骨文：上端是一對彎彎的羊角，中間又多出一道彎形，表示羊角還沒長好的頭部，頭下是嘴形，嘴下是盆熊熊烈火，以烈火烤小羊之義也，是個象形字。

金文：上端的羊頭與下部的火盆都簡化了，惟火盆旁多了兩點火星。

小篆：由金文演變而形，火盆由象形變成「火」的文字。

楷書：由小篆筆法演變而來，「火」字變成四點。

羔之簡化字與繁體字相同。

◆古義

《說文》：「羔，羊子也。」剛出生的小羊，尚未長大也。「周禮。夏官。羊人」：「凡祭祀飾羔。」用小羊祭祀之謂。「詩經。召南。羔羊」：「羔羊之革，素絲五緎。委蛇委蛇，自公退食。」「緎」指接縫處，「委蛇（音移）」，悠然自得也，「自公」指從公門出返也，「退食」乃退朝而食於家也。其意為用羔羊之皮做成袍子，白色的絲線把接縫處縫好，悠哉自得的退朝返家吃飯啦！此乃讚嘆在位者皆節儉正直，後世以「羔羊之義」形容士大夫行為節儉清廉也。「羔裘」亦是以羔羊之皮製成之袍，「詩經。鄭風。羔裘」：「羔裘如濡，洵直且侯。」濡者，浸溼也；洵者、真也、確也；侯者，美也。羔裘柔軟而有光澤，接縫處縫的直而美也。「羔裘」是大夫冬天的服裝。

◆今意

「羔」乃專指小羊、小牛稱「犢」。古時祭祀以羔羊，烤之味美且香，至今蒙古、新疆等地仍有烤全羊的風味餐，多吃不宜，淺嚐兩塊可也！現在常用「待罪羔羊」一詞形容自己或他人犯了過錯，像羔羊般等待審判，古人稱自己「待罪」是謙詞，今人之「待罪」可能就是觸犯刑法，那就嚴重啦！

「羔雁」是古時候卿大夫初次見面送人的禮物，後統稱送人禮物之謂。現今則多用「餽贈」、「伴手禮」等。

行楷

甲骨文

金文

小篆

行書

金文：左邊是個旗杆，右邊下垂的是用犛牛尾做裝飾的旗幟，裡面是金文的「毛」字，表聲，是個會意兼形聲的字。

小篆：旗杆下變得像有人在扛，右邊旗下的「毛」是小篆的寫法。

楷書：依小篆形體演變而來，左邊變成「方」字，右邊的「毛」是楷書的寫法。

旄之簡化字與繁體字相同。

◆古義

《說文》：「旄。幢也。」幢者，旌旗之屬也。旄是旌旗竿首的飾物，最早用犛牛的尾巴，以後改用羽毛。「尚書。泰誓」：「右秉白旄以麾。」白旄即旄牛尾也。是上古時代的戰旗。「詩經。鄘風。干旄」：「孑孑干旄，在浚之郊。」「孑孑」乃直立也，「干」通「竿」，「浚」是衛邑名，在今河南濮陽南。直立的旄牛尾旗，樹立在衛國郊外。「旄」亦星名，「史記。天官書」：「昴曰旄頭」。「旄頭」亦作「髦頭」，即昴宿星也，為二十八宿之一，舊稱昴宿七星，星光明亮，主天下獄訟平、星暗、主大水將至，星光跳躍則胡兵大起也！「唐。李白。幽州胡馬客歌」：「旄頭四光芒，爭戰如蜂攢。」「旄牛」亦稱「犛牛」。「旄」讀音為「冒」時，與「耄」通，耄者，八十歲以上的老人也！

◆今意

上古之時在旗杆頭掛個旄牛尾巴，就是個旗幟了，以後改用輕便的羽毛，現在則用布帛、絲帛或紙類做成的標幟，不叫「旄」而稱旗子、旗幟。對八、九十歲的老人不用「旄耋」，而用「耄耋」，另如「旄期」亦多寫成「耄期」，年高之謂也！古時前高後低的丘陵地稱「旄丘」，老者與小孩稱「旄倪」，使臣所持以為信物的「旄節」等，在現代的生活與語言中均極少用到了！

行楷

甲骨文

金文

小篆

行書

甲骨文：左邊是個旗杆，右上方是飄揚的旗幟，右下方是兩個士兵，是軍隊保家衛國之義，是個象形字。

金文：由甲骨文演變而來，形體稍有變化，但其義未變。

小篆：左邊的旗杆變得像人在扛，旗幟與旗杆分開，士兵仍在旗幟下。

楷書：由小篆形體演變而來，兩個士兵由象形變成文字。

旅之簡化字與繁體字相同。

◆古義

《說文》：「軍之五百人為旅。」「左傳，哀公元年」：「夏少康有田一成，有眾一旅。」眾者，軍隊也。「詩經。小雅。黍苗」：「我徒我御，我師我旅。」「徒」是步行，「御」是駕車，古之軍隊五旅為一師。「旅」亦有「眾多」之義，「詩經。周頌。載芟」：「侯主侯伯、侯亞侯旅。」侯是助語詞，「維」也，「主」指家長，「伯」乃長子，「亞」乃次子，「旅」是眾子弟也！「旅」亦「陳列」也，「詩經。小雅。賓之初筵」：「籩豆有楚，殽核維旅。」楚者，排列整齊也，肉品及核果陳列桌上。「祭山」亦曰「旅」，「論語。八佾」：「季氏旅於泰山。」因軍人必須離鄉背井，戍守邊疆，故有「羈旅」、「寄旅」、「客寄」等義，如「范仲淹。岳陽樓記」：「商旅不行。」

◆今意

現在除了軍中的編制有用到「旅」外，「旅」字已多半用於旅行、旅遊。「旅人」稱「旅客」，住在他鄉的稱「旅居」，旅行途中住宿之所稱「旅社」、「旅館」、「旅店」等。「旅次」亦指旅客暫居之地，但今已少用。「旅行社」是為「旅遊團體」提供服務的單位，古時不因播種而生的穀類稱「旅生」。現在則統稱「野生」。「旅進旅退」是指沒有主見，隨人進退的人，今則習慣說「人云亦云」、「盲目附和」！

現在人們除了認真工作外，還注重休閒，「旅遊」是調適身心最好的方法，退休以後更是如此，因之近年來世界各國都極重視旅遊業的服務品質。

行楷

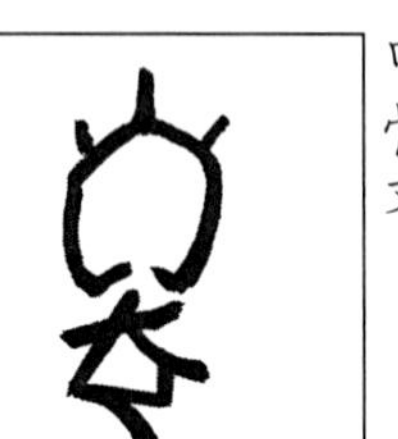
甲骨文

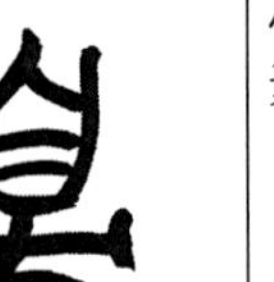
小篆

行書

甲骨文：上半部是個鼻子的形象，下半部是隻狗的形象，腿朝右，尾巴下垂，頭上頂個大鼻子，以犬嗅味也，是個會意字。

小篆：由甲骨文演變而來，仍是「鼻」與「犬」的組合，但圖形轉為字形化，其義不變。

楷書：由小篆字形轉換而來，仍保持「鼻」與「犬」組合的本義。

臭之簡化字與繁體字相同。

◆古義

《說文》：「禽走臭而知其跡者，犬也。」狗的鼻子是所有動物中最靈敏的，任何動物走過，都會留下一種「氣味」，狗都能以嗅覺辨出。故知「臭（音秀）」之本義為「聞氣味」。「易經。繫辭」：「同心之言，其臭如蘭。」言語一致，觀念相同，所言對味如蘭化般清遠幽香。「詩經。大雅。文王」：「上天之載，無聲無臭。」載者，事也；臭者，氣味也。上天的事情，是沒聲音也沒氣味的。因氣味有香穢之別，後人借臭（音仇的去聲ㄔㄡˋ）表穢氣，亦為香的反義字。除臭氣外，亦表臭名、惡名。「晉書。桓溫傳」：「既不能留芳百世，不足復遺臭萬年耶！」有人留名青史，有人遺臭萬年，端視其對人生價值的選擇！

◆今意

「臭（音秀）」之本義為「聞氣味」，被借用為「香」之對義字「臭」後，後人在左邊加「口」旁為「嗅（音秀）」以專表嗅氣味之用。很多人不瞭解其字義演變，當讀至「其臭如蘭」時，每有疑惑，誤認既然是「臭ㄔㄡˋ」，為何還如蘭香？故此之「臭」應讀「秀」音，則疑惑盡釋，茅塞頓開也！「臭味相投」原指氣味喜好相同，彼此投緣之意，現在則多用於貶義詞。「臭皮囊」是指人的軀殼，因軀殼內裝了很多涕、痰、糞、尿等穢物也！

「臭豆腐」、「臭臭鍋」是現代頗受年輕人喜愛的美食，如有興趣可嚐之。

行楷

甲骨文

金文

小篆

行書

甲骨文：左邊上下是兩棵小草的形狀，右邊是一隻手形，手拔小草餵養牲口之義，是個會意字。

金文：由甲骨文演變而來，像是小草已被拔握手上，準備餵養牲畜。

小篆：兩棵小草似乎被兩隻手握在手裏。

楷書：筆法由小篆直接轉換而來。

簡化字：用草書的筆法簡化之。

◆古義

《說文》：「芻，刈草也。」割草以牧養牲口也。故飼養牛馬的草料稱「芻秣」。牛、馬、羊為草食動物稱「芻」，「犬豕」為穀食動物稱「豢」。「詩經。大雅。板」：「先民有言，詢于芻蕘。」古人曾經說過，要向刈草採柴的人請教。故知「芻」之本義為「割草」、「拔草」。「詩經。小雅。白駒」：「生芻一束，其人如玉。」那裡雖然只有草料一束，但那裡的賢人卻如美玉。「芻」亦是草名叫「王芻」，其汁可染成綠色。「詩經。小雅。采綠」：「終朝采綠，不盈一匊。」採了一上午的「王芻」草，還不滿合手一「捧」。「芻言」、「芻議」都是指草野的言論。「芻狗」是用草紮成的狗形，用以祭祀，祭完即扔，比喻廢而不用的物品或言論。

◆今意

牛、羊吃的草叫「芻草」，吃下去的食物可以從胃裡再吐回到嘴裡細嚼，然後再嚥到胃裡，這種動作稱「反芻」，這類動物稱「反芻」動物，如牛、羊、鹿等皆是。現在謙稱自己的言論、評論或作品，仍常用「芻言」、「芻議」、「芻文」等辭；或更謙虛的用「芻蕘之言」。現代家庭多不養牛、馬，能用上「芻秣」、「芻糧」的機會極少，也有很多被「草料」、「飼料」代替了，但吾人仍應知其本義也！

行楷

金文

小篆

行書

金文：左右兩邊是兩串玉，中間是一把刀，用刀把玉分開之義，是個會意字。

小篆：由金文演變而來，中間的「刀」由象形轉為文字形，其義不變。

楷書：由小篆演變而來，中間的「刀」簡化得不像刀。

班之簡化字與繁體字相同。

◆古義

《說文》：「班，分瑞玉也。」將一塊美玉分成兩半之謂。其本義為「分玉」。「尚書。堯典」：「班瑞于羣后。」把作為信物的瑞玉「分發」給諸侯。「公羊傳。僖公三十一年」：「晉侯執曹伯，班其所取侵地于諸侯。」將其所侵略之地「分給」諸侯。由分給再引申為「頒布」、「後漢書。崔駰傳」：「強起班春。」義謂勉強出來頒布春時國家的命令和規定。「班」古亦作「般」，布也，「前漢。郊祀歌」：「先以雨，般裔裔。」郊外祭祀時，神欲行令，先以雨驅之地，「裔裔」指雨盛貌。另雜色曰「班」。「禮記。王制」：「班白者，不提挈。」「班白」與「斑白」同，義謂頭髮花白的老人，不須要提舉東西。「班」亦有「調回」之義，如「班師回朝」。「班」亦為姓氏，如漢朝班超、班固等。「班門弄斧」指在春秋巧匠魯班門前賣弄大斧之義。

◆今意

「班」之「分玉」本義至今已不存在，「分給」、「頒布」、「班白」等亦已另有新詞。今之「班」則常用於工作中的進退如「上下班」、交通運輸工具的班次，如「班車」、「班機」，工作中的「輪班」、「值班」，學校對學生的分組編班，如某年某班、升學班、就業班，不要求其成績而任其自由讀書被戲稱為「放牛班」。軍隊裡最基層的單位編組稱「班」，一班之長為「班長」，學校班級中的一班之長亦稱「班長」，其權責則大相逕庭！

演戲得班子稱「戲班」，今多被電影、電視取代。

行楷

甲骨文

金文

小篆

行書

甲骨文：外形像隻裝水的器皿，中間下方兩滴代表裝著水，上方兩滴代表快要溢出的水，「益」為「溢」的本字，是個會意字。

金文：與甲骨文相似，中間的圓點代表水，上面的兩滴水像要滿溢出來的樣子。

小篆：上半部不是水滴，而是流水的水形，下半部是器皿的「皿」字。

楷書：由小篆的形體演變而來，上方已不見水形。

益之簡化字與繁體字相同。

◆古義

「廣韻」：「益。增也。進也。」水不斷增加就會漫出皿外。「呂氏春秋。察今」：「澭水暴益。」澭水暴漲，漫流四處，危害四方之謂。「尚書。大禹謨」：滿招損，謙受益。」自滿之人必招失敗，自謙之人必有收獲。「詩經。邶風。北門」：「王事適我，政事一埤益我。」差事都丟給我幹，徵收賦稅的事也全加在我身上。故知「益」之本義為「增加」、「漫出」。引申為「好處」、「幫助」。「論語。季氏」：「益者三友，友直、友諒、友多聞，益矣。」「益」自被借用為「好處」、「利益」之後，後人另造「溢」字表示「滿溢」、「春秋。繁露」：「有益者謂之公，無益者謂之私。」

◆今意

今之「益」已無「滿而溢出」之義，但其「增進」、「添加」之義未變，更引申為「更加」如「多多益善」、「益發努力」、「精益求精」等。「益」亦表示「利潤」，商業行為講求的是「本益比」，追求的是「收益」、「獲益」，士、農、工及其他各行各業亦復如此。人的一生，除了不斷進求「利益」外，最重要的環結還是在於結交益友，只有益友才能使自己更成熟、更充實！如果交的都是損友，恐怕家財萬貫、金山銀山都會敗光，能不慎乎！

「論語。季氏」：孔子曰：「益者三樂，樂節禮樂，樂道人之善，樂多賢友，益矣！」今人亦應引以為樂也！

國家圖書館出版品預行編目(CIP)資料

漢字古義今意每日一字. 第五輯 / 曾彬儒著. -- 新北市 :
普林特印刷有限公司, 2023.11
面； 公分
ISBN 978-986-98283-9-0(平裝)

1.CST: 中國文字

802.2 112019329

漢字古義今意 每日一字【第五輯】

作　　者：曾彬儒

總 編 輯：林萬得
美術編輯：林萬得
發 行 人：曾彬儒
地　　址：新竹市武陵路 73 巷 60 號 2 樓
電　　話：0938-077478

出 版 者：普林特印刷有限公司
地　　址：新北市三重區忠孝路二段 38 巷 6 號
電　　話：（02）2984-5807
傳　　真：（02）2989-5849
網　　址：http://www.p1.com.tw

出版日期：2023 年 11 月
定　　價：新台幣 280 元

ISBN-13：978-986-98283-9-0